池澤夏樹　池澤春菜

ぜんぶ本の話

毎日新聞出版

ぜんぶ本の話

もくじ

まえがき

父のことはずっと言ってなかったのだ。もちろん聞かれたら否定はしないけれど、自分からは言わないようにしていた。それでもやっぱり心ないことをずいぶん言われた。その度に憤ったり、諦めたり、ネガティブになったり、なかなか忙しかった。だからもし十年前だったら、この本のお話も断っていたかもしれない。

それを今受けることができるようになったのは、わたしが図太くなったのか、自分の立ち位置に自信が持てたのか。いろいろ理由はあるけれど、一番大きいのは、最高の本読み仲間が父だからだ。父と思い切り本の話をしてみたかったのだ。

考えてみると、親子に共通の趣味として読書というのはずいぶん具合が良いように思う。まず、読書は競わない。読んだ本の数だとかスピードだとかはどうでもいい。面白い本を読んだら、話し合いたいし、薦めたい。年齢も関係ない。同じ本でもそれぞれで読み方が違う。そして本読みはいつも本に飢えている。

だから寄ると触ると「何か面白い本読んだ？」「これ良かったよ」と薦めあう。今ではお互いの専門ジャンルも違うので、相手がアンテナを張っていないであろう、でも絶対に好きだと思う本を見つけると、やった！と得意になる。とても平和的で建設的。

これって、旅に似ている、と思う。違うのは、本の旅は徹底的にひとりだということくらい。


旅から帰ってきたら、その話を誰かにしたくなる。本の中でしか行けないところ、実際の旅でしか経験できないことはもちろんある。でも、やっぱり一ページ目を開く気持ちと、トランクを抱えて家を出る時の気持ちはとても近い気がする。何度も訪れたい国もあれば、一度だけでも忘れがたい場所もある。旅から帰ってきて、自分が見てきたもの、経験したことを話し合う。同じ国に行っても、それぞれの旅は違う。自分の旅では見なかった景色、会わなかった人、食べなかったものの話を聞いて、よりその国の思い出が豊かになる。

だからこれは、数え切れない旅の話でもあり、親子という以前に、とても凄い旅人と、とてもめちゃくちゃな旅人ふたりの会話でもあります（どっちがどっちかはご想像にお任せするよ）。

あなたの旅もここから始まります。どうかこの本が、これからの旅の良きガイドブックとなりますように。

池澤春菜

『ムギと王さま』
（エリナー・ファージョン作、
エドワード・アーディゾーニ絵、
石井桃子訳、岩波書店刊）より

脚注に記した海外作品の刊行年は原著のもの。

写真＝高橋勝視

装丁＝川名潤

I
読書のめざめ

児童文学 1

読書の最初の記憶――池澤春菜の場合

夏樹　最初に読んだ本はおぼえている?

春菜　岩波ようねんぶんこかな。『こぎつねルーファスのぼうけん』[*1]とか。岩波のようねんぶんこと少年文庫がわたしの読書の始まり。ようねんぶんこってサイズも大きくて装丁もカラフル。イラスト入りでビニールカバー。造本も良かったの。

夏樹　少年文庫だとファージョンの『リンゴ畑のマーティン・ピピン』[*2]とか。

春菜　あと『ムギと王さま』[*3]。

夏樹　『ムギと王さま』は最初に出てくるイラストが印象的だね。大きな本をひらいて夢中で読んでいる女の子。この本は創作民話なのかな。

春菜　民話から題材をとった話もあるけど、どれもファージョン流にアレンジされてる。だからもとの民話の残酷さはない。

夏樹　ファージョンの物語には王様がよく登場するよね。

春菜　うん。この人の物語はみんな子ども目線で描かれていて、お説教

*1　アリソン・アトリー作、アナグマ一家と暮らすやんちゃなみなし子ぎつねの物語。一九七九年刊。

*2　エリナー・ファージョン作。旅の歌い手マーティン・ピピンが語るロマンティックな恋物語。一九二一年発表。

*3　エリナー・ファージョン作。表題作ほか、バラエティに富んだ幻想的な物語を収録した短篇集。一九五五年刊。

くさくない。だから好きだった。

夏樹　この本の見返し、見て。名前（「はるな」）が書いてある（笑）。

春菜　（笑）。うちに昔、屋根裏部屋があったでしょ？　階段を下ろして部屋へ上がる作りで、部屋には本棚やら机やら、雑多なものが置いてあった。わたしはいつも棚の一番下に入って、そこで本を読んでいた。持ち込んだおやつを置きっぱなしにして、あとから大変なことになったこともあった（笑）。あの部屋、秘密基地っぽくて好きだったな。パパの書庫の一番奥に潜り込んで読むこともあったね。せまくて、暗くて……。

夏樹　ほこり臭くて（笑）。

春菜　そういう場所が好きだったの（笑）。

夏樹　手が届く場所に本が積んであると落ち着くんだ。

R・ヒューズのナンセンス

夏樹　ようねんぶんこにはリチャード・ヒューズ[*4]が入ってたんだね。

春菜　そう。『ジャングル学校』[*5]ね。大好きだった。『まほうのレンズ』[*6]もそうだけど、ヒューズって基本はナンセンスなの。たとえば「ゾウのピクニック」は、みんなでピクニックに出かけるお話なんだけど、ピクニックがどういうものか誰もわかっていない。「やかんで何かを煮るの

*4　一九〇〇～一九七六年。イギリスの小説家。『ジャマイカの烈風』『まほうのレンズ』ほか、残した作品数は少ないが、いずれも評価は高く、現在も読み継がれている。
*5　リチャード・ヒューズ作。ジャングルの動物たちが開いた学校での大騒動を描く表題作や「ゾウのピクニック」などを収めた童話集。一九七九年刊。
*6　リチャード・ヒューズ作。人間と人形を入れ替えてしまう魔法のレンズを巡る騒動を描く表題作など、奇想あふれる童話集。

がピクニックらしい」というかたよった断片的な知識だけある。ところが、物語が進むうちに、いつのまにかそれが「やかんを煮るらしい」とねじれていく。で、本当に煮るんです、やかんを（笑）。ひたすら煮る。でも柔らかくならない。「まだ食べられない。まだ食べられない」と言いながら延々煮続けていると、最後には本当に柔らかくなっちゃうの。そして、みんなでそのやかんを食べるという結末。フリーキーでへんてこで、ちょっと怖い。でもそこがすごく好きだった。あと、出てくる子どもたちがみんな悪い子（笑）。

夏樹　リチャード・ヒューズには『ジャマイカの烈風』[*7]というジュヴナイルがある。こちらも子どもたちが出てきて、悲惨な旅をする物語。あれが一番の傑作だと思う。

春菜　ちなみにやかんのくだりは、こんな感じ。

「じゃあ、おやかんをあっためよう」。ゾウがいいました。（中略）「どうするつもり？」。カンガルーがききました。「やかんをあっためるんだよ。きまってるだろ」。ゾウはそういって、おなべの水のなかにぼちゃんとやかんをいれました」

そのあと、「まだちっともやわらかくならないや」とあって、そこから

＊7　植民地ジャマイカから帰国する子どもたちが海賊船に襲われた。悲惨な航海とその顚末をリアルに描きだす古典的名作。一九二九年刊行。

煮込んで煮込んで「やかんはこれ以上やわらかくできないほどに、やわらかくゆだっていましたよ！　ふたりは、それをきっちり半分ずつにわけて、ふたりして朝ごはんの代わりにたべました」「ふたりとも、こんなにおいしい朝ごはんはうまれてはじめてだ」とうなずきあいました（笑）。

夏樹　同じようなジョークがぼくの作品の中にもあるよ。

春菜　それは何を煮て食べるの？

夏樹　オーストラリアのコッカトゥーというオウム。肉がとても固いので、煮る時は斧を一緒に入れる。斧が柔らかくなったらコッカトゥーも食べ頃。そういう話。『叡智の断片』[*8]という本に入っている。

春菜　叡智とは関係なさそうな話だね（笑）。

夏樹　それ以外にも、「卵をちょうどよくゆでるには、讃美歌〝見よや十字架の旗たかし〟をきちんと五番まで歌う。歌い終わると、ゆであがっている」なんて話もあるよ。

翻訳物に夢中

春菜　岩波ようねんぶんこは翻訳物が多くて、その中に時々日本の作品が混ざっているラインナップなの。今、手元には十五冊あるけど、そのうち二冊が日本の作家の作品で、あとは翻訳物。子どもの頃、最初にこ

＊8　集英社インターナショナルより二〇〇七年刊。

のシリーズを読んで翻訳のリズムになじんだのかも。

夏樹　訳者も素晴らしいね。戦後の児童文学は翻訳者がみんな立派な人たちなんだ。

春菜　石井桃子[*9]さんとか？

夏樹　そう。当時はそんなこと、気にもしなかったけど。ぼくが読んだ創元社の「世界少年少女文学全集」の『ロビンソン・クルーソー[*10]』は、吉田健一訳だし。一事が万事そうだった。

春菜　このシリーズには日本の作品も入っている。例えば『子犬のロクがやってきた[*11]』。読んでも全然ときめかなかったの。子犬が出てきて、舞台は日本のお話。「え、普通じゃん」って（笑）。それより、ヒューズみたいなエキセントリックな物語のほうがずっと好きだった。

夏樹　日本の児童文学は「生活」なんだね。

春菜　湿っぽいんだよね。

夏樹　それは私小説の影響なんだ。たとえば『次郎物語[*12]』。暗いんだよね。子どもの頃読んだけど、「どこがいいんだろう」と思ったな。坪田譲治[*13]も今ひとつ切れ味が悪い。

春菜　どれも大人の目線で書かれている。大人向けの話を子ども向けに書き直したような。でも、翻訳物はそうじゃない。『ポリーとはらぺこオオカミ[*14]』は頭のいいポリーとおバカなオオカミのお話だけど、全編オ

＊9　一九〇七〜二〇〇八年。児童文学者、翻訳家。『くまのプーさん』や「ピーターラビット」シリーズなど数々の名訳で知られる。

＊10　ダニエル・デフォー作。船乗りロビンソンが漂着した無人島で生き抜く姿を描く。海洋冒険小説のルーツともいえる古典作品。一七一九年刊。

＊11　中川李枝子作。少年が連れ帰った子犬ロクと家族たちの日々を、子犬の成長とともに描く。一九七九年刊。

＊12　下村湖人作。里子に出された主人公次郎の少年期〜青年時代を描く。自伝的要素の濃い大河小説で、たびたび映画化もされた。一九四一〜一九五四年刊。

＊13　一八九〇〜一九八二年。児童文学作家。代表作に『風の中の子供』『子供の四季』など。

＊14　キャサリン・ストー作。一人で留守番している女の子と彼女を狙うオオカミの駆け引きをユーモラスに描く。一九五五

オカミの目線で書いてある。ポリーがオオカミを何度もぎゃふんと言わせるけど、そこに何の教訓もない。「良い子にしてないとダメ」とか「ポリーのように生きていればいいことがある」なんてメッセージはない。そこがいい。

年刊。

読書の最初の記憶──池澤夏樹の場合

夏樹　ぼくでの話をすると、読書の最初の記憶は今言った創元社の「世界少年少女文学全集[*15]」。昭和二十八年ぐらいから出た全集で、今も手元にある。あるとき、これが毎月家に届くようになった。本の手触りも印象的でね。けっこう大きくて、箱入りでぶ厚い。内容はというと、『ガリヴァー旅行記[*16]』と『ロビンソン・クルーソー』で一冊。しかも、子ども向けに書き直してない本格的なものだった。吉田健一が訳者あとがきで「キリスト教関係のちょっとうるさいところは端折った」と書いているけど、それ以外はリライトしていない。だから本物感がある。読者を子ども扱いしていないんだ。二段組の本で活字がぎっしり詰まっていて、最初はなかなか読めなかったけどね。パラパラめくって、箱を積み木代りに積み上げて遊んだりして。

春菜　それでおうちを作ったりして（笑）。

＊**15**　一九五三〜一九六一年刊。イギリス、フランス、アメリカや東洋、日本など地域別の巻のほか、推理小説集、動物文学集などバラエティに富んだ内容となっていた。

＊**16**　ジョナサン・スウィフト作。航海中に遭難した主人公ガリヴァーが流れ着いた、小人の国や巨人の国、空飛ぶ島などでの不思議な体験を語る架空旅行記。一七二六年刊。

夏樹　このシリーズに『イングランド童話集』という巻があって、そこに妖精たちの話が入っていたこともよく覚えてる。人が死ぬ前になると大声で泣くバンシーとか、妖精がたくさん出てきてね。夢中で読んだな。それにくらべて、日本のこの手の作品はあまり面白くないんだ。せいぜい小川未明の『赤い蠟燭と人魚』[*17]ぐらい。

春菜　あれはファンタジーだね。

夏樹　そういうわけで、ぼくも春菜と同じくもっぱら翻訳物を読みふける子どもだった。ちなみに「世界文学全集」はその頃で一冊三百八十円。

春菜　当時だとけっこういいお値段よね。

夏樹　うちは貧しかったから、よく買ってくれたと思っていたけど、あとから聞いたら、父の福永（武彦）[*18]が送って来ていたという。そのときはまだ行き来はないんだよ。でも、三十二巻まで毎回買って送ってくれた。そのあと十八巻、補遺が出て、それはうちで買ったみたい。……この話はあとで改めてしよう。

春菜　創元社[*19]というのは東京創元社じゃなくて、大阪の創元社ね。

夏樹　そう。この全集は、戦後になって「本格的に子どもたちに読む物を」という意図を具体化したシリーズとして、ずいぶん早い試みだったんだ。

＊**17**　老夫婦に育てられた人魚の娘が描く蝋燭の不思議な力と、哀しい結末が印象的な名作童話。一九二一年発表。

＊**18**　一九一八〜一九七九年。西欧のモダニズム文学や日本の古典に造詣が深く、詩的で叙情的な作風で知られる。著書に『草の花』『忘却の河』『風のかたみ』など。一九四四年に詩人の原條あき子と結婚（五〇年に離婚）。二人の間に生まれたのが池澤夏樹である。

＊**19**　一八九二年創業。東京創元社はもともとは創元社の東京支社であった。

本は「買うもの」ではなく「来るもの」

春菜　わたしのときも、やっぱりパパのお母さまのお姉さまだから大伯母さま。大伯母さまが、うちに岩波ようねんぶんこと岩波少年文庫を送ってくれていた。

夏樹　ぼくの伯母は北海道大学の生物学の研究者で、大の本好き。彼女が春菜たちに送ってくれたんだ。しかも、必ず自分でも読んでから送ってくれた。だから会ったときにその本の話ができる。

春菜　そう、楽しい思い出です。

夏樹　彼女は研究者として優秀だったらしい。でもあの時代、女性の研究者は教授にはなれなかった。差別だよね。それが嫌になって、定年前に大学を辞めてしまった。そのあと千葉に引っ込んで、それからは悠々自適の暮らし。「暇になったから」と言って、アーサー・ランサム[*20]を原書で揃えて読んでいた。

春菜　『ツバメ号とアマゾン号』[*21]ね。

夏樹　あと『海へ出るつもりじゃなかった』[*22]とか。伯母が、毎月本を送ってくれて、それを読んだの。この全集を見るといろいろなことを思い出すよ。

春菜　そういえばわたしは小さい頃、本を買うものと思っていなかった。

*20　一八八四～一九六七年。イギリスの児童文学者、ジャーナリスト。『ツバメ号とアマゾン号』などで知られる。

*21　夏休みの四人兄弟が湖の無人島を探検し、アマゾン海賊と対決する。胸躍る冒険物語。一九三〇年刊。

*22　上潮で錨が利かなくなった子どもたちの船は、強風に流され外海へ出てしまった。スリル溢れる名作。一九三七年刊。

いつもパパのところに本が届くじゃない？　だから本って向こうから「来る」ものだと思っていた（笑）。

夏樹　届いた本がそこら中に積んであるから、適当に抜き出して読んでいたね。

春菜　大人向けも子ども向けも関係なく。というか、ほぼ全部大人向け。読んでつまらなかったら、また山に戻し、「これは好き」と思ったら自分の本棚に置く。ああしてバイキング料理みたいに本を試し読みできたのは、とっても恵まれていたと思う。

夏樹　そこから少女書評家としてのキャリアが始まった（笑）。

春菜　そうかも。自分がどういう本が好きなのか、基本がわかったもの。

夏樹　そこから基本線は変わっていない？

春菜　うん。小さい頃だから読めない漢字もあったけど、そこは飛ばしてカンで読んじゃう。意味はわかるけど読めない字もたくさんあった。樋口一葉のことを「おけぐちいっぱ」と読んだりして（笑）。でもパパたちは「〝どい〟とは読めなかったけど〝おけ〟は読めたか。がんばったね」と言ってくれた（笑）。

夏樹　そんなこともあったかな。

春菜　そうやって「自分読み」をしてました。それでも前後の文脈で意味はとれるし、何度も出てくればそのぶん情報量は増えるから、読みの精度はどんどん上がるのね。

夏樹　そう。それは外国語でも同じ。まずはとにかく読むこと。わからない言葉があってもいちいち辞書は引かない。何度も出てきて「これはキーワードだ」と思ったら、そこではじめて辞書を引く。そうすることで語彙が増えていくんだ。

春菜　読むスピードのほうが大事よね。いちいち止めて戻って、とやっていると物語が頭に入ってこない。それより、読み飛ばしてでもズンズン先に進む。そういう意味では子どもでも読めない本ってなかったな。

大事なのはスピード感

夏樹　わからなくても先に読み進むのが大事。それは、ぼくが現代語訳した『古事記』[*23]も同じ。なかにはふつうは知らないような言葉が出てくるんだ。たとえば革の腕輪のような「鞆（とも）」という道具とか。弓を射たときにツルが手首に当たると痛いでしょう。それを防ぐための道具が鞆。いままでの現代語訳では、その意味を本文中で説明していたの。

春菜　「弓を射る時手首に付ける道具で……」って。

夏樹　でもそれだと読むスピードが落ちちゃう。だから、ぼくの訳ではそこを脚注に入れることにした。意味が知りたければページの下を見れ

＊23　「池澤夏樹＝個人編集 日本文学全集1」として河出書房新社より二〇一四年刊。

ばいい。で、気にしない人はどんどん先へ進む。『源氏物語』だって、本当は一帖一晩くらいで読まなければだめなんだよ。小説なんだから。そのスピード感を最初につかんでしまう。そうすると引っかからずに先へ読み進める。

春菜　読んでいるうちに意味はわかるようになるし、読解力も上がってくる。

夏樹　そういうこと。その点でも脚注って便利。ぼくはこのスタイルが好きでね。『ハワイイ紀行』[*24]の時も、あとでわかった情報を脚注で入れた。英語の本は横書きだけど、日本語の本は縦書きでしょ。だから脚注は読む眼の動きに真下にあるわけ。

春菜　『バーティミアス』[*25]という小説でも、ページの下に注が付いてるの。妖霊、悪魔みたいな存在なんだけど、そのバーティミアスのモノローグがページの下に書いてあるというスタイル。ほら、こんな感じ（『バーティミアス』を広げる）。脚注で延々とグチをこぼしている（笑）。副音声みたいなの。オーディオコメンタリーがページの下で繰り広げられる。これは新しい書き方だと思ったたな。人間がしゃべる箇所ではそれはなくて、バーティミアスのところでだけ、このスタイル。というのも、バーティミアスははるか昔、プトレマイオス王朝の時代から存在しているから、その頃のことって下で説明してあげないとわからない。現代ロンドンの

＊24　ハワイ（島本来の言葉ではハワイイ）を綿密に取材し、島の自然と文化を論じた異色のハワイイ論。一九九六年刊。

＊25　ジョナサン・ストラウド作。見習い魔術師と妖霊のコンビが活躍するファンタジー小説シリーズ。二〇〇三〜二〇〇五年刊。

ことならわかっても、「プトレマイオスって誰？」「翼のある蛇って何？」となるかもしれないわけで、そのへんを上手に処理している。しかも物語の流れをうまく盛り込みながら。

夏樹　英語の本は脚注になるとちょっと読みにくいんだよね。『不思議の国のアリス』だったかな、「脚注って足で書くの？」とたずねる場面があったけど。

春菜　（笑）。英語ではなんていうの？

夏樹　footnote。

春菜　そのままなんだ！　とにかく、読むスピードは自然に上がっていくから、とりあえず読めるものからどんどん読んでいくのが大事。

読書の根本は娯楽

夏樹　それにはまず手の届くところに本があること。それは家にある本でも図書館本でもかまわない。

春菜　そして読むのがおっくうにならない本を選ぶこと。「ふだん本を読まないから、なかなか進まないし眠くなる。間があくと前に読んだところを忘れてる。どうすればいいの？」って訊かれることがあるけど、それってピアノの練習をしたことがない人が「エリーゼのために」を弾くようなものだと思う。まずはドレミを弾くことから始めましょう。最初からできない曲を弾けと言われるのはつらいもの。挫折感を味わうから途中でやめちゃうし。それなら『ジャングル学校』から読めばいいんです。

夏樹　カントの『純粋理性批判』はあとでいい（笑）。

春菜　別に一生読まなくてもいい（笑）。仕事で本を読む人もいるけれど、基本的に本は純粋に楽しみで読むものだと思う。だから、いつまでもようねんぶんこを読み続けたって全然かまわない。

夏樹　読んでいるうちに、自然に次の段階に行きたくなるからね。

春菜　外では美食家のふりして家ではマヨネーズを飲んでいる人だっているかもしれないし、いいんですよ。その人にとってマヨネーズを飲むことが喜びなら、家の中では誰はばかることなく飲めばいいの（笑）。

夏樹　高価なものじゃないしね（笑）。ぼくがよく言うのは、たとえ名作とされている本でも、読んでみてつまらなければ途中でやめていいってこと。無理して読む必要は全然ない。それは今の自分の咀嚼力に合わないんだから、いったん置く。それでも、ちょっとかじっておけばあとで効いてくるから。十年たって、「前にのぞいてみたな」ってもう一度開くと、今度はわかるってことがよくある。

春菜　そうすると、前に読んだ時になぜわからなかったのかもわかる。

本には読むべきタイミングがあるってことよね。

夏樹　出会うべき時がある。だから、「子どもに本を読ませたい」という親御さんには「無理に最後まで読ませなくていいですよ」と伝えたい。

春菜　一冊読み通せる本が出るまで、いろいろ与えてみる。「図書館で好きな本を好きなだけ読んでみたら？」でもいい。

夏樹　そうそう。

春菜　そういえば、子どもの頃に本を読んでいると、ふつうは大人から「えらいね」って言われるけど、うちではそんなことなかったね（笑）。

夏樹　そうだったね。だけど「読書はえらい」というのは、かつての教養主義の名残でね。各家庭で居間に文学全集を並べていた時代は、「本を読むことでワンランク上の人間になれる」と思われていたんだよ。「本を読むと社会的に立派な人間になれる」って。昔、文学全集がいくつも出た背景にはそれがあった。ところが一九七〇年代に角川春樹が登場して、教養主義の信仰をぶっ壊して消費主義に舵をきった。それは今も続いている。とはいえ教養主義の片鱗がまだいくらか残っていたから、二〇〇七年になってぼくが編纂した世界文学全集が出たんだけどね。

春菜　読書の根本は教養でも消費でもなく娯楽。それでいいと思う。難しい本を読むのが娯楽という人もいれば、日常とかけ離れた物語に没頭するのが娯楽という人もいる。共通しているのは、「読んでいることが好き、幸せ」って気持ち。それがないと続かない。

夏樹　その幸せな感じが、『ムギと王さま』の絵を見るとよくわかるね。

春菜　いい絵よね。わたしも屋根裏部屋ではこんな感じでした。

波瀾万丈の「小人」シリーズ

春菜　子ども時代は、ふたりとも翻訳物が中心で日本の本はあまり読んでないんだね。

夏樹　『ガンバとカワウソの冒険』[*26]なんかはたのしく読んだけどね。

春菜　あ、わたしも読んだけど『ガンバ』は怖かった。

夏樹　そう？

春菜　うん。あと怖い児童文学といえば、わたしはなんといっても『ウォーターシップ・ダウンのうさぎたち』[*27]。動物が出てくる本って両極端なの。『ポリーとはらぺこオオカミ』みたいにすごく陽気か、逆に『ウォーターシップ・ダウン』みたいにリアルでドンヨリした世界か、どちらか。

夏樹　じゃあ冒険物で『床下の小人たち』[*28]は？

春菜　大好き！　小人シリーズね。映画になった『借りぐらしのアリエッティ』[*29]の原作。

*26　斎藤惇夫作。野犬に追われるカワウソを救うため奮闘するガンバたちの活躍を描く冒険物語。一九八二年刊。

*27　リチャード・アダムス作。イギリスを舞台に、人間に脅かされない安住の地をもとめて旅するうさぎたちの冒険物語。一九七二年刊。

*28　メアリー・ノートン作。古風な家の床下に住む小人一家が登場するシリーズ第一作。一九五二年刊。

*29　スタジオジブリ制作のアニメーション映画。二〇一〇年公開。

夏樹　あのシリーズは英語のタイトルもうまいね。
春菜　『床下の小人たち』は〝The Borrowers〟。
夏樹　そう。その次が〝The Borrowers Afield〟[*30]。
春菜　『野に出た小人たち』。
夏樹　次が〝The Borrowers Afloat〟[*31]。
春菜　『川をくだる小人たち』。次は〝The Borrowers Aloft〟[*32]。『空をとぶ小人たち』。
夏樹　小人シリーズは、「家の中のものがなくなるのは小人のせい」という言い伝えをうまく使っている。彼らは人間に姿を見られたらおしまい。その縛りがあることで物語がぐんぐん動いて行く。
春菜　アリエッティはその家に住む男の子と仲良くなるんだけど、大人たちにばれて害虫駆除業者を呼ばれちゃう。そして、家の穴という穴に害虫駆除の煙を炊き込まれて、ほうほうのていで逃げ出すことになる。そこから、野に出て、川をくだって、空を飛ぶ。大冒険物語になる。
夏樹　シチューの鍋の中から魚の切り身を釣り上げて食べるシーンなんて印象的だよ。この作家は危機的状況を作るのがうまいね。敵として犬や猫が出てくるんだ。
春菜　ネズミもね。
夏樹　そうして、危機に遭遇するたびに知恵と工夫でみごとに切り抜け

＊30　一九五五年刊。
＊31　一九五九年刊。
＊32　一九六一年刊。

る。その展開が読ませる。アリエッティのお母さんは神経質なタチでしょっちゅうおびえてるんだよね。

春菜　お父さんは無口でたよりになるけど、頑固者。

夏樹　最初の設定がうまくいったから、次々に書けたんだろうな。

ケストナーは細部が読みどころ

春菜　次はケストナー[*33]の話もしたいな。

夏樹　ケストナーは好きで、ずいぶん読んだよ。

春菜　わたしも。『五月三十五日』[*34]、『エーミールと探偵たち』[*35]。

夏樹　『エーミールと軽わざ師』[*36]も（現在の訳名は『エミールと三人のふたご』）。

春菜　『どうぶつ会議』[*37]、『飛ぶ教室』[*38]！

夏樹　『飛ぶ教室』は日本の児童文学雑誌のタイトルにもなったね。ぼくの『南の島のティオ』[*39]はあの雑誌で連載したんだ。

春菜　ケストナーの本って食べ物のシーンが印象的なの。『五月三十五日』だと、サッカリンで炊いたご飯が出てくる。最初に読んだときはサッカリンが何かわからなくて、あとからものすごく甘い人口甘味料のことだって知った。でも知らないなりに、それがひどく不味いものであることはわかる。『ふたりのロッテ』だと、マカロニのスープとゆでた牛肉、

＊**33**　エーリヒ・ケストナー。一八九九〜一九七四、ドイツの作家。『エーミールと探偵たち』など名作を数々のこす。二十世紀を代表する児童文学作家の一人。

＊**34**　ローラースケートをはいた馬にのり、薬剤師のおじさんとともに旅に出たコンラートの奇想天外な冒険物語。一九三二年刊。

＊**35**　ベルリンに向かう汽車の中でお金を盗まれたエーミールが、ベルリンっ子たちと力をあわせて悪漢を追い詰める、手に汗握る物語。一九二八年刊。

＊**36**　二年ぶりにベルリンの仲間と再会したエーミールが、またもや事件に巻き込まれる。『エーミールと探偵たち』の続編。一九三五年刊。

＊**37**　すこしも進展しない人間たちの会議に怒った動物たちが開く、世界平和のための会議とは？　ケストナーのメッセージがこもった名作絵本。一九四九年刊。

子牛のカツレツ。それをルイーゼが作ろうとして全部失敗するの。「かのこまだらのヒレを半ポンド」。それも何なのかはわかってなかったけど、語呂がよくて覚えちゃった。いま考えれば、「かのこまだらのヒレ」ってヒレじゃないよね（笑）。

夏樹　サシの入った牛肉ってことかな？　それはヒレじゃない（笑）。まあとにかく、ケストナーの小説って細部がリアルでじつによくできている。『エーミールと探偵たち』の中で、お金を盗まれたエーミールが、少年探偵たちと一緒に泥棒を追いつめ、ついに犯人を取り囲む場面がある。その時、犯人の男は盗んだお金を銀行で両替しようとしていた。彼らは必死に「そのお金は盗まれたものだ」と訴える。だけど男は認めない。困った銀行員はエーミールに「これがきみのものだという証拠は？」とたずねる。とっさに彼は「お金は上着にピンでとめていたから、お札に刺したあとがあるはず」と言うんだ。それが証拠になって泥棒はつかまり、事件は解決する。

春菜　ディテールが印象的。『点子ちゃんとアントン』[*40]も素晴らしいね。

夏樹　点子ちゃんって変わった名前でしょう。原書ではPünktchenとあった。英語でいうpointに「かわいい」という語尾をくっつけてある。だから「点子ちゃん」となるわけ。そう訳したのは高橋健二[*41]。

春菜　なるほどね。

＊**38**　ドイツの寄宿学校で生活する少年たちの友情と、数々の事件を通して成長する彼らの姿を描く。一九三三年刊。

＊**39**　南の島で暮らす少年ティオが遭遇する不思議な事件の数々。島の豊かな自然とおおらかな人々の姿が爽快な連作短篇集。一九九二年刊。

＊**40**　裕福な家の子・点子と貧しい家の子・アントンの友情を、ユーモラスにあたたかく描く。一九三一年刊。

＊**41**　一九〇二〜一九九八年。ドイツ文学者。ケストナーやヘルマン・ヘッセに翻訳で知られる。

夏樹　ケストナーという作家のもう一つの特徴は倫理的なところ。アントンくんもかっとなって怒るんじゃなくて義憤という感じで怒る。社会正義のトーンが強いんだ。

春菜　たしかに。ケストナーの小説に出てくる子どもたちって、みんなきちんとしたしゃべり方をする。小さな紳士という雰囲気がある。

夏樹　『エーミールと軽わざ師』も、体が大きくなって親に捨てられそうになる少年軽業師を子どもたちが助けようとする話だし。

春菜　といって別に教訓くさくはない。

夏樹　ケストナーは大戦中ナチスに抵抗したおかげでたいへんな目にあったけど、それでも亡命せずにドイツにい続けた。骨のある作家なんだ。

春菜　わたしが一番好きなのは『五月三十五日』。ナンセンスでぶっとんでいて、ステキです。

夏樹　じつは『キップをなくして』[*42]を書くとき、「参考にしたいからケストナーを四、五冊買ってほしい」と編集者に頼んだの。それは実際に役に立ったよ。

春菜　どのへんが役に立ったの？

夏樹　児童文学の基本形として読みなおした。

春菜　それくらい重要な作家。ケストナーの翻訳本って箱入りで、あの箱がまたステキ。

＊42　切符をなくして駅から出られなくなったイタルが、同じ境遇の子どもたちと出会い、「駅の子」として暮らすことに。ひと夏の冒険を描くファンタジー。二〇〇五年刊。

夏樹　余談だけど、ぼくが今している腕時計、日付が表示されているでしょ。これ自分で月末に調整しないとダメなの。なぜなら調整しないと三十五日が出てくるから。三十一日の次は三十二日が出てきて、三十三日が出てくる（笑）。ケストナー仕様だ。

春菜　五月三十五日になっちゃう（笑）。

行きて還る物語

春菜　話を巻き戻して（笑）、アーサー・ランサム、『ナルニア国ものがたり』[*43]、『ゲド戦記』[*44]、『指輪物語』[*45]。このあたりは自分で買わずに人からもらった本ばかり。どれも名作だし、そもそも子どもでは買えない値段の本だから幸運だったよね。そういう本が気がついたら身近に揃っていた。

夏樹　そうだね。ただ『ナルニア』に関しては、ぼくの感覚で言えば、どこかキリスト教のくさみがあってどうもね。

春菜　まあね。出てくる子どもがみんないい子なんだよね。悪い子も出てくるけど、最終的にはいい子になる。しかも、いい子になるなり方がいつも同じ。

夏樹　そう。ぼくはそこがいまひとつしっくりこなくて、あまり好きに

＊43　C・S・ルイス作。少年少女たちが異世界ナルニアと二十世紀イギリスを行き来し、悪と戦いながら成長する冒険物語。一九五〇〜五六年刊。

＊44　アーシュラ・K・ル＝グウィン作。異世界アースシーを舞台に魔法使いゲドの生涯を軸に描く名作ファンタジー。一九六八〜二〇〇一年刊。

＊45　J・R・R・トールキン作。はるか昔の地球を舞台に主人公と仲間たちの指輪をめぐる戦いを描く。その後のファンタジー小説へ大きな影響を与えた。一九五四〜一九五五年刊。

なれなかった。

春菜　わたしは子どもたちより、まわりのキャラクターのほうが印象に残ってるな。ネズミのリーピチープって覚えてない？　小さくてものすごくプライドの高い騎士。体のサイズをからかわれるといきりたって、「我が輩はなりは小さくとも心は大きい！」ってすぐに闘いを挑んじゃう。でもしっぽで持ち上げられて「まあまあ」って(笑)。

夏樹　そりゃ傷つくね(笑)。

春菜　あとアナグマさん、フォーンのタムナスとか。それに泥足にがえもんって沼人も。『ナルニア』は、まわりのキャラクターのほうが生き生きしていて面白かった。

夏樹　ぼくはそこまでちゃんと読まなかったな。出版された時点で、自分が年をとっていたせいかもしれないな。

春菜　わたしは何度もくりかえし読んだ。

夏樹　『ナルニア』の訳者はあの瀬田貞二[46]さんだけど、瀬田さんといえば、この間とてもいいことを聞いてね。『ガンバ』の斎藤惇夫さんと話していたら、「池澤さんの本で最初に読んだのは、翻訳の『虫とけものと家族たち[47]』で、〝これは面白いよ〟と薦めてくれたのが瀬田さんだった」というんだ。うれしかったな。ぼくは瀬田さんにお会いする機会はなくて、最後まで遠くから仰ぎ見る存在だった。翻訳児童文学の超大物。そ

＊46　一九一六〜一九七九年。日本の児童文学者、翻訳家。『ナルニア国ものがたり』や『指輪物語』の訳者としても知られ、児童文学の世界に大きな業績をのこした。

＊47　ジェラルド・ダレル作、池澤夏樹訳。ギリシャの島へやってきたイギリス人一家と豊かな自然や動物、隣人たちとの交流をユーモラスに描く。一九五六年刊、翻訳は一九七四年刊。

ういう人が褒めてくれていたと知るのは特別にうれしいものだ。その後、神宮輝夫[*48]や猪熊葉子[*49]、金原瑞人[*50]までたくさんの翻訳家が出たけど、やはり瀬田さんの存在は大きいよ。

春菜 でも『ナルニア』自体は今ひとつなのね(笑)。『ナルニア』も『ゲド』も『指輪物語』も、共通しているのはディテールがしっかり描き込まれていて、厚みがあるところ。ごまかしがない。わたしは昔から、そういう物語に惹かれていた気がする。『ナルニア』で覚えているシーンをつらつら思い返してもそうで、たとえばアナグマさんが地面を掘って作った穴はこんな形で、そこでこんな暮らしをしているとか、お茶をいれる時はコンロでお湯をわたしてポットに入れて、そこにバターがたっぷりついたケーキをつけてとか……そういうディテールの積み重ねが絵として頭に焼きついてる。生活が見える物語。

夏樹 そういう物語こそイギリス的なんだ。

春菜 日本のものは逆に、生活から大きく離れている設定のほうがいろいろ想像できる。どちらでもなく、生活からすこしだけ離れた世界って想像するのが難しい。自分の経験が邪魔するから。子どもの頃って、自分の家のことは想像できてもお隣の家のことってよくわからないでしょ。でもエリナー・ファージョンの描く子どもたちの家なら想像できる。だから遠い世界の物語が好きなのかも。

＊48 一九三二年生まれ。児童文学者、翻訳家。『アーサー・ランサム全集』『ウォーターシップ・ダウンのうさぎたち』など数々の訳業で知られる。

＊49 一九二八年生まれ。児童文学者、翻訳家。モンゴメリ、キャサリン・ストー、フィリッパ・ピアスなどの翻訳で知られる。

＊50 一九五四年生まれ。児童文学者、翻訳家。『タイムマシン』(ウェルズ)などのほか、K・ヴォネガットなど、児童文学にとどまらない幅広い訳業で知られる。

夏樹　それとは別に、イギリス児童文学の一つのパターンとして、「行きて還る物語」というのがある。主人公がどこか遠い世界へ行き、波瀾万丈の冒険をして帰ってくる、そういう形式の物語。『ピーター・パン』[*51]が有名だけど、『宝島』[*52]もそうだよね。「どこか別の場所」を想定するのがイギリス文学の基本形なんだ。彼らは近代以降海外へ出て行ったからだろうね。『ロビンソン・クルーソー』、『宝島』、『ガリヴァー旅行記』、『不思議の国のアリス』[*53]。ずいぶんたくさんある。

春菜　それで言えば読書という行為自体も「行きて還る物語」だね。本の世界へ入って行き、読み終わるとこちらへ帰ってくる。

夏樹　そう、読書って本の中を旅する時間だから。そうそう、子どもの頃、うちには「本を読んでいる人の邪魔をしてはいけない」というルールがあったの。そのせいで母親が何か読み始めるのを見ると、「今日はぼくがおかずのコロッケを買いに行くことになるな」とわかる。一個五円のコロッケ。たまにがんばって十円のメンチカツの時もあったけど、五十円のトンカツは買えなかった（笑）。

春菜　わたしは延々読みふけってたから、さすがに「もういい加減にやめなさい」と言われましたが（笑）。

＊51　J・M・バリー作。永遠の子どもピーターパンと子どもたちのおとぎの国への旅を描く。一九一一年刊。このほか、『ケンジントン公園のピーターパン』という作品もある。

＊52　R・L・スティーブンソン作。少年ジムと仲間たちが繰り広げる財宝探しの物語。一八八三年刊行以来世界中で読み継がれる冒険小説。

＊53　ルイス・キャロル作。白ウサギを追いかけて不思議の国へ迷いこんだ少女アリスの物語。言葉遊びがふんだんに盛り込まれたナンセンス文学の傑作。一八六五年刊。

読書の効能

春菜　そもそもなぜパパは本を読むようになったの？

夏樹　ぼくは学校に溶けこめない子どもでね。その上、家の中でも親たちとそんなに親しくない。まわりに放っておいてもらい、一人で本を読んでいるのが一番楽しいという子だった。たまには外へも出たけど、野球やSケン[*54]に夢中になるってこともない。囲碁将棋もしない。結局、本を読んでいるのが自分にとって一番好ましい状態だったんだ。

春菜　わたしも完全に同じだ。

夏樹　家にある本の数はそう多くなかったけど、途中から全集が届くようになったし、母親といっしょに出かけて向こうが何か買うと、「ずるいよ、ぼくも」とゴネて本を買ってもらう。そうしてだんだん本が増えていった。

春菜　母の罪ほろぼし……（笑）。

夏樹　彼女は、当時岩波文庫で出始めていた『ローマ帝国衰亡史[*55]』を一巻ずつ読むのをとても楽しみにしていた。だから、読み始めるとその日のおかずはコロッケに決まり（笑）。きっと本の世界に逃避していたんだろう。苦労した人だったからね。戦争があったし、結婚して子どもが生まれたあとも、夫になかなか仕事が見つからない。せっかく見つかっ

*54　参加者が2チームに分かれて、地面にS字を描き、相手側の宝物を奪い合う子ども遊び。

*55　エドワード・ギボン作。古代ローマの盛衰を記した古典的歴史書。一七七六〜一七八八年刊。翻訳は一九五一〜五九年にかけて岩波文庫から刊行された。

たと思ったら結核で入院。そこから病気になった夫を何年も懸命に看病したのに結局別れることになり、その後はずっと貧乏生活をしながら子育てをした。いつだったか、「映画館に入るといろんなことをしばらく忘れられる」と話していたけど、本も同じで、その中に入って苦しい日常を一時でも忘れたかったんだと思う。

春菜　読書にはその効能があるよね。お祖母さまはパパの小説について、何か感想はお話しされていたの？

夏樹　批判的なことを言わなかった。いつもまあ「面白いじゃない」って。それでも毎回その言葉を聞くたびにホッとしたな。

本は生きもの

春菜　わたしも子どもの頃、やっぱり世の中になじめなかったの。いじめられっこだったし。本ばかり読んでるからいじめられるのか、いじめられるから本ばかり読んでたのか、わからないけど（笑）。とにかく誰とも話が合わなかった。外で遊ぶのも苦手。家の中で本を読んで、読んだ本について大人と話すほうが気が楽。そんな子だったから、外界のものを自分の中に入れたくない。本とわたしがあればいい。それ以外のものはいらないと本気で思っていた。今でもちょっとそうかもしれない。

つらいことがあっても、最後は本の中に逃げ込める。読み始めるとバタンと扉を閉ざしてしまう。また外に出なきゃいけないことはわかっているけど、これから二時間だけは閉じた世界で本を読んでいられる。それはかけがえのない時間。そういう安全領域を自分の中に持っていたおかげで、いろいろなことがしのぎやすくなったし楽になった。

夏樹　でも読書って自分自身は本に向かって開かれているんだから自閉ではないんだよ。

春菜　他閉？

夏樹　いや、自開だね。自ら開く。本にたいしては開かれている。本は人間と同じように生きものなんだから。人とつきあうように本とつきあうことができる。

春菜　パパやママに「外で遊びなさい」と言われることはなかったけど、それ以外の大人たちからは「外に出てお友だちを作りなさい」とさんざん言われました。でも私は本の中で世界中を旅していたし、不思議の国にさえ行ってた。だから、「そこでもう友だちを作っているのに、なぜ話の合わない友だちをこちら側で無理して作らなきゃいけないの？」と思っていた。「わたしにはこんなにたくさん友だちいるよ」って。そんなふうに逃避が必要な子どもって、いつの時代でも必ずいる。本に触れることで救われる子、現実のつらさをやりすごせる子、壊れそうになる心をせきとめて、現実に立ち向かう力を持てる子。彼らは本に触れる機会がなければ壊れちゃうかもしれない。だから、家にこもって本を読みふける子どもを、親はできるだけ静かに見守ってほしいとわたしは思います。

夏樹　読書は自閉的な行為じゃないからね。本を読みふける子どもを、親は信じていい。本とのつきあいはこちらの主体がいる。そこがゲームとは違う。読書は主体的、能動的な行為だけど、ゲームは目先の運動神経と快感で動いていくから、主体性は薄いと思う。

春菜　頭で考えるよりも瞬間ごとの判断で動くから、戦略はあってもそれが自分の中に蓄積はしない。ゲームはどちらかというと反射神経の世界かなあ。

夏樹　あまりくわしくないから、断言するのははばかられるけど。でも誰かが作った枠の中で、その内部のルールにそってプレイするのがゲームと考えれば、そう言えるよね。

Ⅱ

外国に夢中！

児童文学２

『星の王子さま』の読み方

夏樹　次は二人とも好きな本について、だね。サンテグジュペリの『星の王子さま』[*1]。

春菜　『星の王子さま』は何度も読み返す本だけど、読むたびに感情移入する登場人物が変わる。昔は「バラってなんて嫌なやつだろう」と思っていた。「なぜこんな人が出てくるんだろう」「なぜ王子さまはバラに気持ちをそそいで〝大丈夫?〟なんて言うんだろう」って不思議だった。でも大きくなって読んだら全然印象が違って驚いた。バラってかわいそう。精一杯の強がり。王子さまが地球に行ったら一面のバラで、自分の星のバラはそのなかの一輪にしかすぎなかったんだもの。それがわかるようになった。そんなふうに読むたびに見えるものが変わるから、何度でも読める。

夏樹　子どもの頃に初めて読んだときは、星から星へ旅する展開が単純に面白かったな。ヘンなヤツがたくさん出てくるし。

春菜　点灯夫とか実業家とか酒飲みとか。

＊1　アントワーヌ・ド・サンテグジュペリ作。砂漠に不時着した飛行士と、別の星からやってきた少年との交流を描く。詩的な表現と深い内容を備えた名作。一九四三年発表。

夏樹　昔は、舞台が地球に移ったあとの展開がよく理解できなかった。でも大人になって自分で翻訳をしてわかったんだ。要するにフランス人って基本が農夫なんだよ。フランスは農業の国。

春菜　食糧自給率が高いしね。

夏樹　サンテグジュペリ自身も農夫的なの。飛行機乗りだけど、飛行機で新しい土地を農夫のように開拓するというイメージを持っていたと思う。

春菜　新しい土地をどんどん探して切り拓く。

夏樹　抵抗する大地を従わせるイメージね。

春菜　飛行機が鋤と鍬なわけね。

夏樹　そう考えると、『星の王子さま』の世界がよく理解できる。彼は倫理観も農夫的。たとえば失恋して自殺した若者について、「どんな幻想に耽ったか知らないが、そんな死に方はくだらない」。そうではなくて、農夫が必死で働いたあと「ああ、すっかり刈り取った」ってゴロンと横になってそのまま死ぬ。そういう死に方のほうがよほど美しい」と彼は言う。『星の王子さま』の基本にある世界観は農業なんです。

春菜　ちょっと宮沢賢治[*2]と似てない？

夏樹　うん。賢治の作品にも信仰と倫理観があって、『星の王子さま』と通じるところはある。ただ、カトリックの世界観では、神様が世界を

＊2　一八九六〜一九三三年。故郷の岩手をモチーフにした数々の童話で知られる。生前はほぼ無名だったが、現在は近代日本を代表する文学者の一人として評価が定まっている。

作り植物を作り動物を作り、最後に人間を作った。最後に作られた人間には、世界を維持管理してよりよくする義務がある。つまり神の代理人なんだ。そこは賢治と違うところ。

春菜 「人間は神から世界を預かっている」と。

夏樹 だから人間と動物との間には歴然たる差がある。『星の王子さま』でよく問題になるのが、キツネを「飼いならす」という箇所だよね。Apprivoiserという動詞について。これまでは丸く柔らかく、「仲良くなる」「友だちになる」と訳されていたけど、それはじつは間違っている。なぜなら人間と動物は友だちじゃないから。キリスト教の世界では、動物は飼いならして家畜としてケアしてやるべき存在なんだ。

春菜 面倒をみて安心させてやる？

夏樹 そして、よりよいところへ導く。だから、あそこはどうしてもあの動詞でしかありえない。自分で訳してみてようやく気がついた。

春菜 つまり「自分の神様になってくれ」ということなのね。絶対的存在として自分を庇護してほしい。そうすれば、その庇護のもとで安心して生きていける。つかえる者、あがめる者と、支配するけど護る者という関係。その感覚はキリスト教的なのかしら。

夏樹 そうだね。キリスト教にとって世界は「作られたもの」。ところが日本だと世界は「生まれるもの」なの。それ自体に内在する力によって生まれ出てくる。「なる」という動詞を見ればわかる。「子どもが大人になる」「木に実がなる」。ね？　その感覚が日本人の性格の根底にある。そういうわけで、『星の王子さま』のポイントがカトリックと知るのに、何十年もかかりました。

春菜　翻訳者たちは、海外の作品を日本人にも理解できるように訳すのに大変な苦心をしてきたよね。たとえば「ターキッシュ・デライト」を「プリン」と訳したり求肥（ぎゅうひ）[*3]にしたり。それでも、絶対的に違うものはあって、その違いが伝わることも大事だと思う。あれこれ読んでいるうちにさまざまな国の人々の考え方の違いが自分の中に蓄積していく。たとえば、ある国にとって一番大事なのは「名誉」かもしれないけど、別の国では「お金」かもしれない。あるいは「誰かの言うことをちゃんと聞くこと」かもしれないし、「冒険心」や「義侠心」かもしれない。それぞれで善とされるものは違う。いろんな国のお話を読んで、その感覚が自分の中に入ると、現実の人生で思いがけない出来事に遭遇しても「まあ、ありだよね」と思えるようになる。それも読書の効能のひとつ。

夏樹　そうきたか、って感じでね。

*3　『ナルニア国ものがたり』（瀬田貞二訳、岩波書店）

宮沢賢治とサンテグジュペリ

春菜　ところで今名前が出た宮沢賢治だけど、あれって児童文学なのかな。そういう枠組みで語られることが多いけど、わたし、賢治は童話とは思っていないの。

夏樹　賢治は児童文学の枠からはみ出すね。ぼくは子どもの頃に初めて読んだ時に、「これはもっと大きくならないとわからない本だ」と感じた。ストーリーには惹かれるんだ。たとえば「貝の火」[*4]や「土神と狐」[*5]はとても面白いと思った。ただ、一見童話風なのに、そこで語られるメッセージが読み取れない。「今はわからないけど、いずれわかるだろう」と思いながら読んでいた。

春菜　『銀河鉄道の夜』[*6]でいえば、河原のサンタクルスの火を見て、「みんなあそこへ行くんだ」ってつぶやく箇所。印象的なのに、何が描いてあるのかわからない。とても美しいものが描かれている気がするのだけど、それが何かはっきりとは理解できない。だから、これが児童文学だとは思えなかった。いまだにそう思う。

夏樹　「すごいらしいけど、よくわからない。また来よう」。で、いったん去る。それを繰り返す。そういう読み方だったたな。

春菜　じつは『星の王子さま』もそう。わたしは『星の王子さま』も単

＊4　ひばりの子を助けたうさぎのモホイが、ひばりの親から「貝の火」という宝珠をもらい受けることで起こる葛藤を描く短篇。一九三四年発表。

＊5　美しい樺の木をめぐり、嘘をつく罪悪感に苛まれる狐と嫉妬に狂う土神の姿を描いた短篇。一九三四年発表。

＊6　少年カンパネルラと友人ジョバンニが、銀河鉄道に乗って美しい夜空へ旅に出る。未完ながら賢治の代表作とされる名篇。一九三四年発表。

純な児童文学ではないと思う。それとはすこし違う場所にある作品。読み終えるたびに「また三年後くらいに戻ってこよう」と思う。

夏樹　物語に身をまかせてたのしく読みふけるだけ、というわけにはいかない作品なんだ。

春菜　奥のほうに何かがあるのに、「ここから先にはまだ行けない」という感覚がいつもあって、まるで、一見さんお断わりの「注文の多い料理店」[*7]みたい。「次に来たときは扉が開くかな」と思いながら読み続ける。そんな作品。

サンテグジュペリとの不思議な縁

夏樹　ぼくとサンテグジュペリとの間には妙な縁があってね。以前フォンテーヌブローで暮らしていた時、近所の人がお茶に呼んでくれて、何人かで集まったことがあった。そこで、「あなたはどこに住んでるの？」と訊かれて答えたら、「そこは昔、アーロン・コープランド[*8]が住んでた家よ」って。コープランドはアメリカ出身の作曲家ね。彼がまだ若かった頃、フォンテーヌブローには音楽学校があって、そこにナディア・ブーランジェ[*9]という指導者がいたの。日本で言えば齋藤秀雄[*10]みたいな人。彼女のもとでコープランドは音楽を勉強した。そのとき住んでいたのが

*7　猟の途中で山奥に迷いこんだ紳士たちが出くわした西洋料理店。中に入り奥へ進むに従っていくつも注文が課されるが……。とりわけ有名な短篇の一つ。一九二四年刊。

*8　一九〇〇〜一九九〇年。アメリカ民族音楽を取り入れ、アメリカのクラシック音楽を確立した作曲家として知られる。一九二一〜二四年にフランスへ留学した。

*9　一八八七〜一九七九年。作曲家、教育者。優れた音楽教師として、コープランドなど数多くの音楽家を育てた。

*10　一九〇二〜一九七四年。指揮者。音楽指導者として山本直純や小澤征爾など、数多くの門下生を育てた。

当時のぼくの家だったんだ。あとで彼の書簡集を読んだら、引っ越して来た時の話も書いてあったよ。おかげで「この部屋にピアノ置いたんだな」という感慨に浸ることができたというわけ。

春菜　すごい！

夏樹　「やっぱりピアノはスタインウェイがいい」なんて書いてあった。で、ナディア・ブーランジェはサンテックスの親友で、『星の王子さま』の生原稿を本人からもらったのが彼女なんだ。

春菜　そんなに仲良しだったんだ。

夏樹　そう。つまり、コープランドとナディアを介してぼくとサンテックスとがつながった。六人を間にはさめば理論的に人は誰とでもつながるというけど……。

春菜　この場合はもっと短くつながった。

夏樹　うん、極端に短かった（笑）。

春菜　日本ではそんなに知られていないけど、コープランドは「二十世紀で最もアメリカ的な作曲家」と言われている人なのね。

夏樹　うん、クラシックの作曲家でね。

春菜　わたしたちがいるこの家も、じつは誰かすごい人が住んでいたりして……でも日本の家はそんなに長期間残らないか。土地は残っても家は残らない。

夏樹　ところがフランスは二百年、三百年と残る。ぼくが住んだ家は十八世紀に建った家だった。しかも「地下室ができたのは十六世紀だ」と言われたよ。地下から屋根裏まで五層もある家だったの。

春菜　ずいぶん立派な家だね。

夏樹　一階ずつはとても狭かったけどね。

春菜　当時の技術だと、部屋を大きくしちゃうと支え切れないからじゃない？

夏樹　そうなんだよ。梁（はり）の長さが足りない。

春菜　長屋みたいだね。

夏樹　まさにそう。連棟式ってそういうことなんだ。ただ、なにせ壁が分厚いから、隣の音は何も聞こえない。壁だけで柱はない構造で、窓はすごく奥行がある。そのへんは日本の長屋とは似ても似つかないね。ちなみに窓にしないで壁を途中までへこませた場所を「ニッチ」と呼ぶんだ。

春菜　ニッチというと、あのニッチ？

夏樹　そう、ニッチって本来そういう意味なんだ。日本語では「龕（がん）」って難しい字を書く。壁のへこみで物を飾ったりする。……何の話だったっけ？

春菜　サンテグジュペリ。

夏樹　そうだった（笑）。

ヴェルヌと冒険物語

夏樹　今度はジュール・ヴェルヌ[*11]の話をしようか。よく間違えられるけど、代表作として知られている本のタイトルは『海底二万哩（マイル）』ではなくて『海底二万里[*12]』です。

春菜　本によって「里」も「哩」もある。でも考えてみれば、里と哩では距離がちがう。

夏樹　もともとのフランス語ではlieues（リュー）で、これは日本語では四キロぐらい。それが哩になると、半分以下の距離になっちゃう。

春菜　訳書によっては「意外と旅してないな」と思われちゃう（笑）。「世界を何周もした」と書いてあるのに、足りないぞって。

夏樹　ジュール・ヴェルヌは好きだった。代表作といえば『十五少年漂流記[*13]』ね。

春菜　『八十日間世界一周[*14]』、『月世界旅行[*15]』。『地底旅行[*16]』に『グラント船長の子供たち[*17]』。

夏樹　多作な作家なんだ。それでいて、ヴェルヌの小説にはどれもひねりがある。たとえば『八十日間世界一周』なら、一日の時差で主人公が

*11　一八二八～一九〇五年。フランスの作家。『八十日間世界一周』『十五少年漂流記』『月世界旅行』など冒険小説やSF小説の古典を数多くのこした。
*12　ネモ船長率いる潜水艦ノーチラス号の海底探検の旅を描く冒険物語。一八七〇年刊。
*13　無人島に漂着した少年たちが、力を合わせて生き抜く姿を描く物語。一八八八年刊。
*14　八十日間で世界を一周することは可能か？　全財産を賭けて旅に出た男の波瀾万丈の冒険物語。一八七三年刊。
*15　十九世紀アメリカで、巨大な大砲に乗り込み宇宙へ飛んだ男たちの月世界旅行記。一八六五年刊。
*16　偶然、アイスランドの山の火口に地球の中心への入口があることを知ったリーデンブロック教授たち。地底への驚異の旅を描く物語。一八六四年刊。
*17　行方不明のグラント船長を求め、帆船で捜索の旅に出たグレナヴァン卿と仲間たちの冒

ピンチから救われる展開とかね。「この日までに帰らなきゃいけない」という期限にどうしても間に合わない。おかげで主人公は賭に負けて財産を失うはめになる。「仕方ないか」と諦めかけた時、「あれ、今日は日曜日じゃない。まだ土曜日だ」と気がつく。地球を一周してきたから、時差で一日浮いたわけ。そういうアイデアが、当時どれほど新鮮だったか。『十五少年漂流記』でいえば、なぜ船が流れ出したのか、という秘密。ジャックのいたずらなの。「そのことは秘密にしておこう」と決めたけど、でも、ジャックはそれをとても気にする。彼が面白半分にもやいを解いたんだ。でも、危険な任務を自ら引き受ける。そういう作りのうまさと細部の精密さ。じつにたいしたものだ。

春菜 出てくるガジェットにもわくわくするね。

夏樹 『海底二万里』のノーチラス号とか？

春菜 そう。またそこで出てくるごはんがみんな海で獲れるもので、海草ばっかり食べている（笑）。

夏樹 それがなかなか美味しい。

春菜 でも「肉が食べたい」って銛打ちのネッドが暴れて、アザラシを獲ったんだっけ。

険物語。一八六七年刊。

アーサー・ランサムのリアリズム

春菜　『ドリトル先生』[*18]はどう？

夏樹　ぼくはさほどのらなかった。オウムのポリネシアはいい名前だと思ったけど。『ナルニア』と同じで、翻訳が出た頃、それを読むべき年齢を過ぎてたんだろう。そういうタイミングってあるよ。

春菜　わたしは『ドリトル先生』好きなの。特に『ドリトル先生航海記』[*19]。南の島の危機を救いに行くお話で、最後は大きな巻き貝のなかに入って海の底をわたってパドルビーに帰ってくる。あと、別の作品で先生の妹が、「ワニがリノリウムを食べちゃうの！」って怒るシーンがあって、「リノリウムって何？」と思ったこともおぼえてる。

夏樹　床材ね。おなじ系譜でいうと、ぼくが好きなのはアーサー・ランサムだった。ランサムの小説はリアリズム。冒険の具体的な細部がちゃんと描いてある。

春菜　「これなら自分でもできるんじゃないか」と思うよね。

夏樹　そう。『海へ出るつもりじゃなかった』では、岩壁につないだヨットの中、子どもが自分たちだけで夜を明かそうとする。すると、上げ潮のせいで舫いが外れて流れ出してしまう。そこからどんどん流されて、もといた東海岸のグレイト・ヤーマスからフランスまで行ってしまう。

＊18　ヒュー・ロフティング作。動物語を解する名医ドリトル先生の活躍を描く名シリーズ。『ドリトル先生アフリカ行き』『ドリトル先生航海記』など。

＊19　仲間たちと漂流する島へ上陸したドリトル先生は大活躍の末、島の王様に選ばれる。映画化もされたシリーズ第二作。一九二二年刊。

春菜　実際にそういうこと、起こりそうだね。

夏樹　でしょ？　それから『オオバンクラブの無法者』[*20]。オオバンというのは鳥の種類ね。

春菜　カモメみたいな鳥？

夏樹　もっと大きい。「オオバンが巣をつくっているから、静かに通ろう」と子どもたちは言い合うなか、悪い奴らが卵を取りに行くんだ。鳥の卵のコレクターという人種がいて、それは宝石と同じように、いろんな卵を集めて喜ぶ連中なの。中身は吸い出して捨ててしまう。その連中の悪だくみをいかに阻止するかというお話。

春菜　その設定も本当にありそう。

夏樹　主人公のお父さんが歯医者で、家に帰るとお母さんに「今日の犠牲者は誰？」と言うのがおかしい。患者のことなの。

春菜　（笑）。ランサムの作品は本当にリアリズムだね。

夏樹　でもひとつだけファンタスティックな作品があって、それが『女海賊の島』[*21]。この小説の舞台は中国。そこでジャンクに乗った女海賊に出会うストーリーで、これはこれで面白い。

春菜　そんな小説も書いてみたくなったのかしら。

夏樹　ね。アーサー・ランサムって本業は文芸評論家だったんだよ。でもそちらでは名前が残らず、実作者として記憶されることになった。

*20　春休み、湖沼地方へやってきた兄弟が、土地の鳥を守る「オオバンクラブ」の少年たちと繰り広げるスリリングな追跡劇。一九三四年刊。

*21　世界一周の旅の途上、船が火災で沈没。子どもたちが漂着したのは女海賊が支配する島だった。著者には珍しい東洋が舞台の作品。一九四一年刊。

春菜　評論されるほうの仕事が残ったのか。

冒険記にワクワク

春菜　小説じゃなくてリアルな冒険の記録なら『コンチキ号漂流記[*22]』もわたしは好き。

夏樹　名作だよ。バルサ材で船を作り、海を航海し、陸へ到着するまでの手に汗握る記録だね。後の学説では、ポリネシアへ南アメリカから人が移動した説は否定されているけど、それは別にして、この本自体は今読んでも非常に面白い。もう一つ、その手の本に『パパーニンの北極漂流日記[*23]』というのがあって、これも良いんだ。

春菜　どんな内容なの？

夏樹　ソ連の科学者たちが、飛行機で北極近くの大きな氷山に着陸、科学観測をしながらだんだん南へ流れてゆくというノンフィクション。最後に「もう限界」というギリギリのところで飛行機が迎えに来る結末だけど、とてもスリリングでワクワクする。

春菜　冒険物って楽しい。ただ悲しいことに、地球上には冒険できる未知の世界がもう残っていないんだよね。だからみんな宇宙を目指す？

夏樹　現代では、どこへ行こうと、そこに最初に足を踏み入れた人間に

＊22　ハイエルダール作。自らが提唱するポリネシア人民族移動説を証明すべく、南米ペルーから南太平洋諸島まで旅した記録を綴る。一九四八年刊。

＊23　イ・デ・パパーニン作。一九三七年に北極へ向かったパパーニンら科学者のチームの調査記録。一九七二年刊。

はなれない。だから、冒険記はどう書いても誰かの旅をなぞることになってしまう。となると、その旅を自分なりにどう仕立て直すかが問題になる。この点でブルース・チャトウィン[*24]はすごかった。パタゴニアとかオーストラリアの奥地とか、いかにも冒険の地のようなところに行って、しかし自然ではなく人間への関心によって見事な作品を書いた。

春菜　ヴェルヌの時代には、海底も地底も「テラ・インコグニタ」＝未知の場所だった。そのぶん想像力を働かせる余地があったし、未知を埋めるドラマを展開できた。でも今はそうじゃない。では既知になった場所へ二度目に行く時、どうするか。現代で冒険物語を書く時の難問だ。

やっぱりイギリス物が好き

春菜　改めて振り返ると、好きで読んだ児童文学ってだいたいイギリス物だった。特に印象に残っているうちの一つが、さっきもあげた『ウォーターシップ・ダウンのうさぎたち』だけど、これもイギリス。かなり陰鬱なお話です。なにしろ登場するウサギがどんどん死んじゃう。本のカバー[*25]に描かれたウサギも、真っ黒で歯をむき出してたりして、全然子ども向けと思えなかった。

夏樹　神宮輝夫訳だね。

＊24　一九四〇～一九八九年。イギリスの作家。『パタゴニア』『ソングライン』など南米、オーストラリア、アフリカ等を舞台とした数々の作品で知られる。

＊25　『ウォーターシップ・ダウンのうさぎたち』（リチャード・アダムズ作、神宮輝夫訳、評論社）

春菜　この鬱々とした感じがイギリスのカラーなんだね。わたしが大好きなダイアナ・ウィン・ジョーンズもすごくイギリス的。

夏樹　こと児童文学になると、話の中心は歴然とイギリスになる。この分野に関して、相応の歴史とボリュームを持っているのはなんといってもイギリス。彼らは児童文学と伝記が好きなんだ。ちょっとした人物ならたいてい伝記がある。ある程度知られた人物が死ぬと、すぐに「誰が書く？」という話になる。「ぼくがやるよ」と手をあげて書き手が決まると、まわりがみんな協力する。そういう伝統がある。「手紙が残ってるから使って」とか「あいつのことは知ってるからインタビュー受けるよ」とか。そうして三年ぐらいたつと厚い伝記が出来上がる。

春菜　児童文学と伝記文学の国。

夏樹　この間イーヴリン・ウォー[*26]の伝記が出たよね。それはウォーの本格的な伝記としては三冊目。二冊目のあと何十年かして新たな資料が出てきたから。資料は公開まで期限が設けられていた書簡で、それが参照できるようになったことで新事実が判明したの。具体的に言うと、彼は戦争中に将校として参戦していて、そこでのふるまいについて非難されていたけど、それが間違いだったとわかった。そういうことがあると、イギリスでは新たな伝記が必ず出るんだ。ブルース・チャトウィンが亡くなってまもない頃、イギリスで彼の話を聞いたことがある。その時、「い

＊26　一九〇三～一九六六年。イギリスの作家。著書に『一握の塵』『ブライヅヘッドふたたび』など。ブラックな笑いに満ちた作風で知られる。ここで出ている「伝記」は、フィリップ・イード『イーヴリン・ウォー伝　人生再訪』（白水社、二〇一八）。

ま、ニコラス・シェイクスピアがチャトウィンの伝記を書いてるよ」と教えられた。そしたら、しばらくして本当に出た[*27]。

春菜　わたし、今日話すためにリストアップした本がほとんどイギリス物だった。ファージョン、ダイアナ・ウィン・ジョーンズ。ケストナーはドイツだけど、『不思議の国のアリス』はイギリス。ヴェルヌは……フランスか。でも圧倒的にイギリス。イギリスって児童文学の作品数自体がそもそも多いけど、それだけじゃなくて日本人の感覚に合う気がする。

夏樹　ぼくはアメリカ文学をわりに知っているけど、児童文学の分野で「これ」という作品ってあまり思い浮かばない。確固とした世界観を持った傑作となると『ハックルベリー・フィン』ぐらい。あとは『クローディアの秘密[*28]』なんか。カニグズバーグか。

春菜　『ナルニア国物語』もイギリス。『ゲド戦記』はアメリカだけど、あれは児童文学とはいえない。

夏樹　そうだね。『ゲド戦記』の話をちょっとすると、あの作品の何が新しかったかというと、文化人類学がベースにあるところ。ル・グィンの両親は文化人類学者だったんだ。母親のシオドーラ・クローバーには、ある部族の最後のインディアンとの交流を書いた『イシ』という有名な著作もある。『ゲド戦記』の背景には、そういう文化人類学的な世界観

＊27　Nicholas Shakespeare『Bruce Chatwin』（二〇〇六年）をさす。ＫＡＤＯＫＡＷＡより二〇二〇年七月刊行予定。

＊28　Ｅ・Ｌ・カニグズバーグ作。家出してニューヨークの美術館に隠れ住む姉弟。二人が美術品をめぐる謎に挑む冒険を描く。一九六七年刊。

がある。それとユング。『ゲド戦記』は自分の影と対決する物語だからね。文化人類学やユングを持ち込んで、ル・グィンはあの作品を生んだ。

春菜　それをファンタジーという枠のなかで語り直した。

夏樹　『ゲド』では、登場人物たちが魔法学校に通うし、環境アセスメントを考慮しながら魔法を使う。そういう時代になっていたんだね。

春菜　ファンタジーで言えば『ハリー・ポッター』[*29]もイギリスだね。

夏樹　うん。彼女がうまいのは、固有名詞をそれぞれいかにもイギリス、ケルト、ゲルマンぽく付けているところ。古い英語の雰囲気がよく出ている。

春菜　ちょっとくどいところが、感じ出ているよね。

シニカルでセンチメンタルなイギリス小説

夏樹　まだ名前が出ていない本の話もしておくと、グレーアムの『たのしい川べ』[*30]はどう?

春菜　『たのしい川べ』は好き。

夏樹　いいよね。船乗りのネズミが出てきて、みんながネズミの旅の話を夢中で聞く。ああいうところがイギリスらしい。

春菜　イギリス人の精神性が出ている。旅好き。

＊29　イギリスを舞台に、魔法使いの少年と仲間たちの成長、闇の魔法使いとの戦いを描くベストセラーシリーズ。一九九七～二〇〇七年刊。

＊30　もぐらやひきがえるらの動物たちが豊かな自然を舞台に活躍するファンタジー。一九〇八年刊。

＊31　アンドレ・モロア作。食いしん坊で怠け者のデブ人と働き者で意地悪なノッポ人。二つの国同士が争う地下世界へやっ

夏樹　ヘンな人たちだけどね。あとは好きだった『デブの国ノッポの国』[*31]……はフランスか。地の底で二つの国が戦っていて、そこへ地上の子どもたちがまぎれこむという話。地下へ降りるのにフォンテーヌブローの山の上にあるエスカレーターから行くんだ。フォンテーヌブローに住んでいた頃、「そういえば、あれはここじゃないか」って気がついた。

春菜　話をイギリスに戻すと、ロアルド・ダール[*32]の『チョコレート工場の秘密』[*33]『ジャイアント・ピーチ』[*34]（邦題『おばけ桃が行く』）、『ガラスの大エレベーター』[*35]。ああいう小説にもイギリスらしさを感じる。

夏樹　底意地の悪さね。あの意地の悪さはダールだけじゃなくてイーヴリン・ウォーにもあるしサキ[*36]にもある。

春菜　サキも意地悪だよね。

夏樹　登場人物をいじめるの。

春菜　それも表だっていじめるんじゃなくて、裏でチクチクと（笑）。

夏樹　そう。でもイギリス作家にはじつはもう一つ別の面がある。

春菜　というと？

夏樹　時々センチメンタルなものを書くところ。サマセット・モーム[*37]は皮肉屋だけど、そちらの面を抑えて真剣に書いたのが『人間の絆』[*38]。なぜこれが意地悪でないかというと、ほぼ自伝だから。イーヴリン・ウォーもそう。『黒いいたずら』[*39]はアフリカの食人種に女の子が食べられち

てきた兄弟を描くファンタジー。一九三〇年刊。

＊**32**　一九一六〜一九九六年。イギリスの作家。著書に『あなたに似た人』『チャーリーとチョコレート工場』など。

＊**33**　謎めいたチョコレート工場が舞台の奇想天外な物語。一九六四年刊。

＊**34**　両親をなくした少年が、大きな桃に乗って旅へ出る冒険物語。一九六一年刊。

＊**35**　『チョコレート工場』の続編。宇宙へ飛び出したチャーリー一家を描く。一九六七年刊。

＊**36**　一八七〇〜一九一六年。イギリスの作家。「開いた窓」など数々の短篇で知られる。

＊**37**　一八七四〜一九六五年。イギリスの作家。『月と六ペンス』『人間の絆』など。

＊**38**　モームの自伝的要素が濃い教養小説。一九一五年発表。

＊**39**　アフリカの架空の国を舞台に、若き皇帝や商人たち、英国公使らが繰り広げるドタバタ劇。一九三二年刊。

ゃう話だし、『一握の塵』[*40]は登場人物が南米で狂った金持ちに捕まって、ディケンズを毎日朗読させられる。ひどい運命だよ。そんな黒い小説をたくさん書いた。ところが『ブライヅヘッドふたたび』[*41]では、一転して彼の良質なセンチメンタリズムが出る。フッと自分に戻ってそんな作品を書くんだけど、あとはだいたい……。

春菜　意地悪。

夏樹　ロアルド・ダールには「カティーナ」[*42]という短篇があって、これは戦争中の体験を描いた小説。飛行機のパイロットとしてやって来たギリシャで、主人公はカティーナという小さな女の子と出会う。彼女は兵隊たちにかわいがられているんだけど、ラストでその子は、敵の飛行機に向かってこぶしを振り上げたせいで、撃たれて死んでしまう。センチメンタル以外の何物でもない短篇で、ダールもそういう作品を書くことがある。

春菜　両面がある。そうはいっても基本はシニカルだよね。有名な『くまのパディントン』[*43]もじつは底意地が悪い。冒頭から「暗黒の地ペルー」で暮らしていたパディントンが、一緒にいたおばあちゃんのもとを離れて、マーマレードの瓶だけ持って密航するんだから。そのあとパディントン駅に着くけど、誰にも拾ってもらえずに、ひたすら拾ってくれる人を待つ。そういう始まりかたなの。

＊40　イギリス片田舎の地主が意外な出来事の末、アマゾン奥地へ向かうが……。一九三四年刊。

＊41　主人公チャールズと青年貴族セバスチャンとの失われた青春の日々を甘美に描く。一九四五年刊。

＊42　短篇集『飛行士たちの話』（一九四六）に収録。

＊43　マイケル・ボンド作。ブラウン一家と暮らす子ぐまのパディントンが主人公の名シリーズ。第一作は一九五八年発表。

夏樹　Darkest Peru ね。イギリス人はそういう未知の世界が好きなんだよね。

春菜　そう考えると、かなり国民性が出てるよね。スペインやオランダの子どもたちも、イギリスの児童文学を読んでるのかな。

夏樹　『ガリヴァー旅行記』は通るんじゃない？

春菜　ラノベのようなヤングアダルト作品はそれぞれの国で出ているかもしれないけど、古典として『アリス』や『ガリヴァー旅行記』は読むって感じかな？　「児童文学の主流はイギリス」というベースはゆるぎなくあるみたいね。

本当はこわい「ムーミン」の世界

春菜　イギリス物以外で有名な児童文学というと、わたしがまず思い浮かべるのは『ムーミン』[*44]。フィンランドね。これも別格。

夏樹　そう？　アニメーションで見ている人は多くても、本は意外に読まれてないいんじゃない？

春菜　そうか。でも『ムーミン』って、アニメのイメージからするとびっくりするほど陰鬱な作品もあるよ。

夏樹　たとえば？

*44　トーベ・ヤンソン作。ムーミン谷に暮らすユニークな住人たちの物語。小説のほか、絵本や漫画もある。小説第一作『小さなトロールと大きな洪水』は一九四五年刊。

春菜　『ムーミン谷の彗星』なんてそう。世界が終わると誤解した登場人物たちがしだいに狂乱状態に陥るお話で、それぞれの闇が一気に吹き出す怖い描写がある。『ムーミンパパ海へいく』[*45]もすさまじい狂気の世界。

夏樹　どんな話なの？

春菜　みんなで夏の休暇をすごすために船で灯台のある島へ流れ着くところから始まるの。着いてみると、そこには灯台はあるけど灯台守がいない。孤絶した島なんです。「じゃあわたしがやろう」と思いついたムーミンのお父さんが灯台守になる。フィンランドの島って岩とカモメばっかりで、夏の間にちょっぴり緑が生えるだけ。殺伐としているのね。そんな島で暮らし始めたせいで、みんないつのまにか病んでいく。その描写がとにかくすさまじい。たとえば、ムーミンはひそかに自分のお気に入りの場所を作るんだけど、ある日そこをのぞくと、蟻がいる。「ぼくの場所なのに」って腹を立てたムーミンは、そこに油を流し込んで蟻を殺しちゃうの。しかもそれをミイに見られる。ショッキングでしょ。そのあとわれに返ったムーミンは小さい蟻のお墓を作る。「ごめんなさい、ごめんなさい」と言いながら、無数の小さな墓を立てる。これが怖い。ほとんど『ペット・セマタリー』[*46]の世界（笑）。一方でムーミンママは自分の描いた絵のなかに入りこんだりする。そういう恐ろしい、それでいて美しいお話です。

＊45　一九六五年刊。

＊46　スティーヴン・キング作。死者のよみがえりを描くホラー小説。一九八三年刊。

夏樹　それは知らなかったな。

春菜　フィンランドは一年のうち十ヶ月が冬の国でしょ。だから、二ヶ月だけある夏の美しさと貴重さは特別なものだし、毎日十五分ずつ日が短くなる恐ろしさも身にしみる。実際に行ってみて、それを実感した。『ムーミン』の世界は、フィンランドのあの風土と切り離せないのがよくわかる。

夏樹　太陽が地平線すれすれをゆっくり水平にまわってゆく。あの世界ね。

挿絵画家たち

夏樹　小説ではないけど、フランス語圏には『タンタン』[*47]があるね。

春菜　『タンタン』……『ムーミン』からマンガつながりで思い出したでしょ（笑）？

夏樹　はい（笑）。登場人物たちがバタバタする展開もちょっと似てない？

春菜　『タンタン』は断然おしゃれで洗練されてる。

夏樹　そこはお国柄かな。絵の話で言うと、『ムギと王さま』のこの本に頭を突っ込んでいる絵は誰が描いてるんだっけ？

春菜　エドワード・アーディゾーニ。[*48]もともと原書にあった絵みたい。

＊47　エルジェ作。少年タンタンと愛犬スノーウィが活躍するフランスの人気BD（漫画）作品。第一作は一九二九年発表。

＊48　イギリスの絵本作家。代表作に『チムとゆうかんなせんちょうさん』など。挿絵画家としても評価が高い。

夏樹　『アリス』はテニエル[*49]が描いている。
春菜　キャロル本人が描いた絵もあるけど、そっちは気持ち悪い（笑）。でも作者の絵が合っている場合もあって、『あしながおじさん』[*50]なんてヘタウマで良いの。ケストナーの本はヴァルター・トリアー[*51]。あれも作品とぴったりで良いよね。こうしてみると、児童文学は挿絵画家の力もかなり大きいかも。
夏樹　うん。『白鯨』はあのロックウェル・ケント[*52]のモノクロの木版画じゃないと気分が出ない。
春菜　ヴェルヌの世界も、あの版画のテイストの絵がよく似合う。それで言うと、日本版のダイアナ・ウィン・ジョーンズの小説には、基本的に佐竹美保さんが絵を描いているんだけど、それがとても良いのね。必ずしも原書通りじゃなくてもいい。
夏樹　新たにイラストレーターを立てたのが功を奏したと。
春菜　うん。ダイアナ・ウィン・ジョーンズって、『ハウルの動く城』[*53]の原作者として有名だけど、『魔法使いハウルと火の悪魔』[*54]は、彼女の作品のなかでもすごくわかりにくいと思う。なぜこれをわざわざ映画にしたんだろう。ほかに良い作品がいっぱいあるのに。
夏樹　日本では一番知られた作品になっちゃったね。
春菜　ねえ。……それはさておき。挿絵と言えば、ほら、これ、『こん

＊49　一八二〇～一九一四年。イギリスのイラストレーター。『不思議の国のアリス』『鏡の国のアリス』の挿絵で名高い。
＊50　ジーン・ウェブスター作。孤児院で育ったジュディは毎月手紙を送ることを条件に、見知らぬ資産家の援助を受けることに。一九一二年発表の古典的名作。
＊51　一八九〇～一九五一年。挿絵画家。ケストナー作品の挿絵を数多く手がけた。
＊52　一八八二～一九七一年。アメリカの挿絵画家。
＊53　宮崎駿監督、スタジオジブリ制作のアニメーション映画。二〇〇四年公開。
＊54　一九八六年刊。同シリーズはほかに『アブダラと空飛ぶ絨毯』『チャーメインと魔法の家』がある。

どまたものがたり』[*55]。この本の絵も作者が描いてて、ヘタウマだけど良いでしょ。この『たのしいゾウの大パーティー』[*56]も、見るだけでワクワクする。表紙の絵は、木イチゴのプディングでできた巨大なゾウ。どんなお話かというと、ある日、街にサーカスがやってくる。サーカスは金属で出来たゾウを連れている。そのサーカスの団長が街のみんなに言うの。「みなさん、それぞれでおうちから木イチゴのプディングのもとをお鍋で持ってきてください」。集まったそれを型に注ぎ込んで「さあ、明日のおたのしみ」。次の日になると、大きなゾウのプディングができている。頭には生クリームの帽子つき。子どもたちは各自持ってきたスプーンでそれをどんどん食べる。そんな夢のようなお話。初めて見た時から、この絵が大好きだった。ただ、冷静になって考えると、このゾウは絶対に自立しないけど（笑）。

夏樹　自重でつぶれる（笑）。

春菜　見ているだけでウキウキしてくるよね。

夏樹　さて。というわけで、児童文学談義の結論としては……。

春菜　児童文学はやっぱりイギリスだった！

＊**55**　ドナルド・ビゼット作。トラがお風呂に入り、コブタが空を飛ぶ。ユーモラスで不思議なお話が詰まった物語。一九七〇年刊。

＊**56**　パウル・ビーヘル作。一九七三年刊。

『たのしいゾウの大パーティー』（パウル・ビーヘル作、バブス・ファン・ウェリ絵、大塚勇三訳、岩波書店）より

Ⅲ

大人になること

少年小説

家族で作られた物語

夏樹　少年小説といえば、まずはなんといっても『宝島』。『宝島』はパーフェクトな作品だと思う。作品の舞台がいいし、時代がいい。ストーリーは宝探しだし、イギリス的な味わいもあるし、なにはともあれジョン・シルバーというじつに素敵なキャラクターがいる。まったく素晴らしいよね。

春菜　名前も覚えやすい（笑）。

夏樹　『宝島』は、スティーヴンソンが家族と一緒に書いた小説なんだ。彼自身には子どもがいなかったけど、年上の妻には連れ子の男の子がいて、その子が宝島の地図を描いたのが始まりらしい。

春菜　そこは『不思議の国のアリス』と似ている。他の人たちの前でお話をして、そのリアクションから物語を組み立てていく。『アリス』もそうだったらしい。

夏樹　スティーブンソンは、一章書くたびに家族を集めて、その前で朗読したという。物語にはその時の彼らの意見も反映されている。それでいてちくはぐにならず、あれほどうまく出来上がるというのは感動物だよ。少年小説のお手本。余談だけど、ぼくはスティーブンソンとも縁があるんだ。というのは、フォンテーヌブローに住んでいた頃、近くの町にスウェーデンが持っている施設があった。昔はホテルだった立派な建物でね。うちから車で十分ぐらいのその建物が、スティーヴンソンと彼の妻が出会った場所らしい。彼と出会ったとき、妻のファニーはまだ人妻だったけど、夫とは不仲で子どもを連れてヨーロッパを放浪していた。

春菜　まあ優雅な。

夏樹　彼女の方が年上でね。そこで出会い、結婚して、生涯をともにした。二人が初めて会った運命の場所が近所にあったわけ。

春菜　すごい。ヨーロッパで暮らすとそういうことが起こるのか。……ところで家族で作った、ということで言うと『くまのパディントン』も、作者の子どもが持っていたぬいぐるみからお話を作ったんだよね。最初は子どもに向かってお話ししていたんだって。そういう作り方をした物語って案外多いのかしら。

夏樹　かもしれないね。『パディントン』といえば、前にも触れたけど、あそこに出てくる〝darkest peru〟という言葉は印象的だった。

春菜　「暗黒のペルー」。冒頭がすごいよね。もともとパディントンはおばあちゃんと暮らしていたんだけど、彼女が老人ホームに入ることになり、「もうおまえの世話はできないから」って、マーマレードの瓶を持たせて密航させられるの。で、ロンドンのパディントン駅に着いて、失せ物預り所へ行く。

夏樹　Lost and Found ね。

春菜　そこで「この熊をよろしくお願いします」という札をつけて待っていると、ある家族が彼を見つけて、「この子を家に連れて帰ろう」と考える。「名前はどうする?」「パディントンの駅だからパディントンにしよう」……という形に物語が展開してゆく。つまりパディントンってはじまりは難民なの。

夏樹　捨て子だね。

春菜　ダーク。現代の難民の状況を思い出すから、そこを読むとなかなかつらい。

夏樹　でも、それはそれとしてパディントンって奔放な子だよね。かわいいけど、たまにとんでもないことをしでかしたりして。いい子だけどね。

春菜　うん。基本的にはたのしい物語です。

見事な成長小説『海に育つ』

夏樹　『宝島』の次に思い出すのは、この本。
春菜　『海に育つ』[*1]。知らない本だ。初めて見た。
夏樹　少年向けのお手本。
春菜　あ、地図が載ってる。そうそう、冒険物には地図がなくちゃね。
夏樹　これは船乗りの練習生の物語です。船乗りになるための学校を出て、初めて実習生として船に乗る少年が主人公。舞台は一九三〇年代。イギリスの海運業が盛んだった時代だね。主人公キャム・レントンはごく普通の貨物船に乗り、イギリスからカリブ海へ向かう途中に立ち寄る島々で積んできたさまざまな荷を降ろす。その過程でいくつも試練を経たキャムはしだいに一人前の船乗りに成長していく。
春菜　作者のアームストロングも実際に船乗りだったんだね。
夏樹　そう。だから一種のお仕事小説でもある。作者の実体験が反映されているから、細部が精彩に富んでいて、じつに見事なんだ。
春菜　しかも挿絵を描いた人も海洋画家だ。
夏樹　これがいい絵なんだよ。簡単な線画だけどイギリスらしくてね。
春菜　舞台が一九三〇年代ってことは、本が出た一九四〇年代の時点では近過去の話だったのね。

＊1　リチャード・アームストロング作。船員としての経験が作中に反映された著者の代表作。一九四八年刊。

夏樹　今となってははるか昔の話だけど、そこがむしろ面白い。まず当時は定期船じゃなくてトランパーという不定期の船だった。その船が各地に届ける荷を積み込んで、港ごとに降ろしていく。当時と今とで何が違うかというと、今は全部コンテナになっているでしょう。でもトランパーではバラ積みしてある荷をいちいち持ち上げて、はしけに下ろしていく。そういうやり方だった。積み込む荷が港に来ないからじっと待つ、なんて場面も出てくる。全体におっとりしているんだ。そこも味わいがある。

春菜　荷下ろしの絵があるね。[*2]

夏樹　絵にあるように、一つ一つ点検しながら荷を積み出していく。これについては本の最初のほうで、「ハッチごとに行く先に合わせて荷をまとめたらどうでしょう」という質問が出る場面があって、そうしない理由もちゃんと語られている。要するに「荷物ごとにまとめてしまうと、それを降ろすと船のバランスが崩れるから」というんだ。

春菜　なるほど。積み方でバランスを取るんだ。

夏樹　それから「機関室の横に肉やミルクを置いたらまずいだろう」と。そういう意味でのバランスもふくめて、よくよく考えて積むわけだ。だからすごく面倒なの。荷物を出すために、いちいちあれをどけて、これもどけて、やっと取り出すんだから。

＊2

『海に育つ』(リチャード・アームストロング作、マイケル・レスツィンスキー絵、林克己訳、岩波書店刊)より

春菜　実際の船乗りならではのリアリティだ。

夏樹　そう。他にも男らしいアンディという航海士にたいして「自分は嫌われてるらしい」と拗ねたり、誤解がとけたりという人間関係のドラマがあるし、石炭庫から火が出る突発的アクシデントもある。火を消すために全員が徹夜で働くという場面が印象的でね。そして最後に、船全体を巻き込む大冒険が描かれる。放棄された大きな船を見つけるんだ。嵐で遭難したんじゃなくて、ほかの船に衝突された船。その船は、船首に縦に裂け目ができて、開いた穴から浸水して、傾いている。その状態で漂流していたところを彼らが発見する。

春菜　それが船全体を巻き込む大冒険になるの？

夏樹　漂流している無人船を港に運べば、船は見つけた人のものになったんだよ。だから「よし、一つやってやろう」と六、七人で船に移り、開いた穴を閉じようとするわけ。どうするかというと、防水布を上から垂らして反対側にロープをつけて、回して引っ張る。その描写がまた非常に具体的。

春菜　ギュッとして引っ張って。目に浮かぶよう。

夏樹　そうすると、船の傷の上に布がかぶさる。今度はそれと別に太いシュロ縄を持ってきて、それを下ろす。すると波の力で縄が空いた穴に突っ込まれて、穴はふさがる。それからポンプで水を掻き出す。掻き出したところで今度は内側に縦の箱を作り、セメントを流し込んでしっかり固める。こういう臨機応変の動き方が緻密に描いてあってワクワクさせられる。

春菜　ディテールがものすごく細かくて具体的。

夏樹　ところが、そうやって働いている間に親船がはぐれちゃう。親船に引っ張らせていたのがダメになって、「じゃあ自力で行くぞ」と自分たちで船を動かすんだけど、なにしろ無線はきかない、レーダーはない。GPSなんてないから船の位置も六分儀で天測するしかない。もう大変。さんざん苦心した末、それでも一行は何とかリバプールへたどり着く。そういう一連の出来事のなかで、キャム・レントンは揉まれ揉まれて一人前の水夫になる。成長物語だよね。彼はイギリス人言うところの〝able bodied seaman〟となって小説は終わる。

春菜　最後の文章もいいね。「しかし、こんどは、その歩き方にもずっと自信があり、その顔にも熱心の色が浮かんでいた。彼は一度見失った道をふたたび見つけて、今後は何事が起ころうとも、もう二度と見失うことはないと思っているようだった」。

夏樹　自分で復刊したいぐらい好きな本なんだ。

春菜　主人公が作中で子どもから大人へとたくましく育つ。しかも職業的な自信と人間的な自信と両方を身につけながら。

夏樹　見事な小説ですよ。内容はいくらか古いかもしれないけど、今でも十分読む価値がある。これまた『宝島』と同じくこのジャンルの典型だと思う。

春菜　今となっては『宝島』も『海に育つ』も、海洋の世界が探索され尽くしていない時代だから書けた小説という気がするね。今でも相変わらず海は怖いし、事件も事故も起こるけど、当時のように未知の世界ではない。GPSがあるから、たとえ一時行方不明になったとしても、そのまま見つからない船はないわけで。

夏樹　それはないだろうね。

春菜　未知の島を発見したり、誰も知らない海域が登場したりする展開もない。現代で『宝島』みたいな冒険を描くのは難しい。

夏樹　冒険はハンディキャップがあるから冒険になる。現代はそのハンディキャップの種類が失われた時代だからね。

春菜　今、冒険を描くのが難しいもう一つの原因は携帯電話じゃないかな。ストーリーを動かすために何らかの手段で携帯を使えなくする必要がある。そうやってどこにも連絡がつかない状態を意図的に作る。ユビキタス（ネットワーク環境）を絶つ。その過程が煩雑になるんだよね。

夏樹　どこか作り物めいたものになってしまうんだね。

春菜　そうなの。無理矢理その状態を作ることで作り手の作為が見えちゃう。そこを不自然に感じさせずに描くのが難しい。現代の作家は大変です。

知られざる名作『水深五尋』

夏樹　三つ目の作品に行こうか。『水深五尋』[*3]。

春菜　また海洋物だね。

夏樹　うん、昨日何年かぶりに読み返した。

春菜　どんなお話なの？

夏樹　第二次大戦中のイギリス北部が舞台で、そこに住む少年が主人公。彼があるきっかけで「この町にはドイツのスパイがいるんじゃないか」と疑い始めるのが発端。そこからさまざまな謎が生じ、その謎をめぐって物語が展開する。これもやっぱりイギリス的なリアリズムで書かれているんだ。

春菜　翻訳版は「宮崎駿・絵」なんだ。特別感がある！

夏樹　金原瑞人訳でね。

春菜　男の子がスパイの正体をつきとめ、追い詰めていく。この点ではスパイ物でもある。冒険小説であり、スパイ小説でもあり。『エーミールと探偵たち』とも似ているね。

＊3　ロバート・ウェストール作。一九七九年刊。翻訳は岩波書店より二〇〇九年に刊行。

夏樹　『水深五尋』と『海に育つ』には共通点があって、それはどちらもシェイクスピアの『テンペスト』のエアリアルの歌からタイトルを取っているところ。『海に育つ』の原題は〝Sea Change〟、海が与える変化、という意味なんだ。ぼくの『骨は珊瑚、眼は真珠』[*4]という小説もそう。「父は五尋の海の底」とあって、それが「骨は珊瑚で眼は真珠」とつづく。すべてが海の変化として表現される箇所があるんだ。ちなみに『水深五尋』の原題は〝Fathom Five〟。

春菜　海洋物はいいな。ロマンティック。

夏樹　マーク・トウェインだと舞台は川になる。でもイギリスだと断然、海。そこは地域性だね。

春菜　アメリカは国土が広いから、内陸部に住んでいると海に出合えない（笑）。だけどイギリスならどこにいても、ちょっと行けば海だから。

夏樹　『水深五尋』はね、第二次世界大戦中のイギリスの港町で暮らす少年の話。普通は日常生活の場を冒険の舞台にするのは難しいけど、戦争中だとそれもできる。資材を積んだ船が港に入るんだが、その情報をドイツ側に教えているスパイがいる。そのせいでUボートが待ち構えていて船を撃沈する。こういう状況を巡る活劇と少年の成長が重ね合わせて描かれる。登場人物も多彩で、本当に面白い。ウェストールはこの本をいつ書いたんだろう？

＊4　「群像」一九九〇年十二月号に発表。一九九五年刊の同題の短篇集に収録された。

春菜　えーと……原書は一九七九年出版だそうです。

夏樹　じゃあ『海に育つ』よりずいぶんあとだ。

春菜　『海に育つ』は一九四八年に出版とあるから、その当時を舞台にしているってことよね。

夏樹　だけど、『海に育つ』には戦争の影がない。

春菜　ということは、もうすこし前の時代が舞台なのかな？

夏樹　戦争について作中で言及がなくて、世の中も平和なようすに描かれている。と考えると、舞台は戦前だと思う。出てくる船も非常に古風だしね。

春菜　そうか。今、冒険物を書く時も、舞台を現代じゃなくてすこし前の時代に設定して、懐古的に書くという方法はあるね。

夏樹　そのほうが書きやすいだろうね。過去ならすでに全部わかっている。ぼくの『キップをなくして』がそう。あの小説の舞台は一九八〇年代で、まだ青函連絡船が動いていた時代。時刻表一冊を手に、子どもたちが汽車で移動する。

春菜　iPhoneがある現代では、『キップをなくして』のような物語は成立しないものね。まだそれ以前の携帯電話なら圏外になることもあるし、地図も調べられない。だからガラケーまではギリギリ大丈夫としても、スマートフォンになると厳しい。

夏樹　それを使った仕掛けを考えなきゃいけなくなる。

春菜　ただしさっきの話でも出たように、冒険小説ってトラブルや障害が起こる仕掛けを用意周到にすればするほど作為的になっちゃう。それじゃダメで、物語中で起きた偶然の出来事が自然な形で転がって行き、無理なく展開して結末にたどり着くようになっていないと。で、そこにいたるまでの主人公たちの勇気や工夫、友情と……。

夏樹　倫理観と。

春菜　それらが絡みあって物語が進んでいく。そうならないとダメだよね。無理に障害を置いていくと、「次はここへ進む」ってすごろくみたいになるから読んでいて気持ち悪い。

夏樹　友情、勇気、工夫、倫理、そういう諸々がうまく絡み合う冒険物語は、なんといってもイギリス物が一番だと思う。

春菜　ここでもまた「少年小説はイギリスだ」という結論になるのね(笑)。

少女小説はちょっと苦手

春菜　少女小説にも触れておく?

夏樹　じつはぼくは少女小説があまり得意じゃないんだ。

春菜　あら、それはなぜ？

夏樹　難しい話でもなくて、たんに読んでみて感情移入できなかったの。たとえばみんなが読む『赤毛のアン』[*5]も。あの世界にうまく入っていけなかった。どうもピンとこなかった。

春菜　それは仕方ないよ。どうしたって書かれた当時のジェンダー観が内容に作用するわけで。

夏樹　『小公女』[*6]も読んだ。本がたまたま手元にあったから。『あしながおじさん』も読んだな。でもそれくらい。

春菜　『あしながおじさん』はいいね。あの本はあまりジェンダーを意識させないし、描写が生き生きしているところもいい。『続あしながおじさん』[*7]も好きだな。

夏樹　『赤毛のアン』は？

春菜　もちろん読んでます。わたしはとっても共感したな。ギルバートにからかわれたアンが彼を後ろから石板で思いきり殴るシーンがあるんだけど、「そりゃ殴るわな」と。そういう描写に共感したりして（笑）。

夏樹　石板、割れるだろうに（笑）。

春菜　頭が割れるか石板が割れるか（笑）。

夏樹　子どもの頃は、向こうの小説に出てくる板が何なのかわからなかったけど。

＊5　L・M・モンゴメリ作。カナダの美しい自然を背景に、活発な少女アンの成長を描く。一九〇八年刊。『アンの青春』『アンの愛情』等の続巻がある。

＊6　H・F・バーネット作。十九世紀イギリスを舞台に、逆境のなかでも明るく生きる少女セーラの物語。一九〇五年刊。

＊7　前作のヒロイン・ジュディの親友サリーが、ジュディの育った孤児院の院長として奮闘する姿を描く。一九一五年刊。

春菜　もう日本になかったからね。そういえばわたし、去年ブルガリアに行ったの。その時に古い町並みをそのまま残してある「文化村」「民族村」があると聞いて訪ねてみたら、そこには昔の学校があって、中には教壇があり、長い机があり、みんなが掛けるベンチがあった。そこまでは日本と同じ。でもよく机を見ると、溝があってそこを砂で埋めてある。何だと思う？

夏樹　インクを吸い込ませるとか？

春菜　その砂に文字を書いたんだって。昔は紙もないし石板もない。つまり書き残しておくものが何もない。貧しい国だったから、そんな方法で勉強していたっていうの。

夏樹　ノート代わりに砂の上へ棒で文字を書いたのか。

春菜　そう、一通り終わったら砂をならして消しちゃう。これだと書いたことを死に物狂いで覚えなきゃならないから大変。あの村が残っているということは、せいぜい五、六十年くらい前、お父さん世代まではそういうやり方だったみたい。

夏樹　まるで『クオーレ』[*8]みたいな話だね。

＊8　エドモンド・デ・アミーチス作。少年の日記に「先生のお話」が付されるスタイルで綴られた物語。アニメ『母をたずねて三千里』原作としても有名。一八八六年刊。

Ⅳ

すべてＳＦになった

ＳＦ１

ＳＦとの出会い――池澤夏樹の場合

夏樹　ＳＦってアメリカ発の名称だよね。science fiction。

春菜　あともう一つ、speculative fictionもあるよ。

夏樹　「思弁小説」ね。ぼくがＳＦに出会ったのは、中学生の時。ちょうどそのころ「ＳＦマガジン」が創刊されたんだ。一九五九年のこと。

春菜　日本ＳＦ界の黎明期と思春期がピッタリ重なった。

夏樹　そう。ぼくが入った大泉第二中学は大きな学校から二つに分かれたばかりでね。若くて元気な先生が多くて、雰囲気がよかった。ちなみにその中学の校歌はぼくの母が作詞したの。きみの祖母。[*1]

春菜　え？　知らなかった！

夏樹　日本の学校にしては珍しく居心地がよくてね（笑）。そこの先生たちが「これが面白いぞ」って回してくれたのが「ＳＦマガジン」だったわけ。

春菜　それは創刊号？

夏樹　創刊号から何冊かだね。

＊1　原條あき子。一九二三〜二〇〇三年。詩人。「マチネ・ポエティク」に参加し、押韻定型詩を試みる。一九四四年に福永武彦と結婚し、翌年夏樹をもうける。著書に『やがて麗しい五月が訪れ　原條あき子全詩集』がある。

春菜　ＳＦ好きな先生がいたのね。

夏樹　面白い短篇がいくつも入っていて夢中になったよ。そのころから、早川書房が次々にＳＦを出版し始める。そのキーマンだったのが福島正実[*2]。

春菜　伝説の編集者ね。

夏樹　どれもはじめて知る作家ばかりで、どの作品にも科学的な知識がひねったかたちで入っている。じつに新鮮だった。たとえばニューヨークの地下鉄が舞台の小説があって、それは地下鉄網をどんどん整備した結果、いつしか地下鉄が三次元を超えて四次元的になる……なんてストーリーだった。ゴーッと走る音は聞こえるのに、地下鉄の姿は見えない。そういう描写があった。それから早川に「異色短篇」というシリーズがあってね。

春菜　「奇妙な味」だ。

夏樹　具体的な作家でいうと、たとえばジャック・フィニイ。ＳＦはこの「奇妙な味」の延長線上の小説というイメージだった。そこに科学が絡む。科学であればとりあえず何でもいい。「進化論」でもいいし、数学でもいい。そういう理解。「なるほど、これがＳＦか」と。それから、当時の解説でよく引き合いに出されていたのは、ジュール・ヴェルヌの諸作とＨ・Ｇ・ウェルズ『宇宙戦争』[*3]。

＊2　一九二九〜一九七六年。「ＳＦマガジン」初代編集長。日本ＳＦの発展に大きな功績をのこした名編集者、翻訳家。

＊3　地球へ侵略してきた火星人との戦いを描くＳＦの古典。アメリカでラジオドラマ化された際、あまりのリアリティに聴衆がパニックを起こしたという逸話がある。一八九八年刊。

春菜　古典中の古典だ。

夏樹　うん。『宇宙戦争』は正確に訳すと、「二つの世界の間の戦争」、「複数の世界」となる。原題は「The War of the Worlds」で、じつは「宇宙」ではない。火星にも一つの世界があり、そこと地球との間で戦争が起きる。つまり「世界大戦」みたいなニュアンスのネーミングだったんだ。

春菜　へえ！　それだとイメージが変わるね。

夏樹　そうなんだ。あと『宇宙戦争』は最後がいいよね。なぜ火星人が死んでしまったかというところ。あのアイデアの秀逸さは、『八十日間世界一周』とも共通する。

春菜　最後できれいに着地する。ああいうオチの付け方ってミステリーのようでもある。

夏樹　しかし、あくまで科学的知識がベースにある。『八十日間世界一周』での「地球が丸いから一周したら一日分日が多くなる」という展開、『宇宙戦争』の「免疫がないから地球外生物はすぐやられてしまう」という展開。これはやっぱり科学ですよ。科学がキーになっているのがSFなんだ。

春菜　たしかに。

夏樹　ただ、そうやってあれこれ読んでいくうちに、SFはサイエンス・フィクションというだけでなく、サイエンス・ファンタジーが入ってくることもわかってくる。なぜって厳密にサイエンスだけでやると、ほかの星なんか行けるはずがないから。そこのところはうまく飛ばすでしょう？　するとだんだん魔法に近づいていく。

春菜　つまりファンタジーになっていく。

夏樹　そんな感じで、中学時代からいろいろ読んできました。

ＳＦとの出会い――池澤春菜の場合

春菜　じゃあ次はわたしの番ね。わたしのＳＦとの出会いは学校ではなくてパパの書庫。そこに置いてあった本からＳＦに入ったの。そこからはもう夢中。古典も読んだし、新しい作品も読んだ。その後自分で本を買えるようになってからは、最先端の流れも追いかけるようになった。それが今も続いている。そう考えると、同年代の人よりは幅広く読んできたかもしれない。

夏樹　ＳＦについては人並み以上の教養があるわけだ。

春菜　それはパパが残してくれた本のセレクションのおかげ。何百冊もあったものね。

夏樹　ある時期までは熱心に追いかけていたからね。特にディック[*4]とバラード[*5]は好きで、全部揃えていた。

＊4　Ｆ・Ｋ・ディック。一九二八～一九八二年。現実崩壊の感覚に溢れる特異な作風で知られる。『アンドロイドは電気羊の夢を見るか』『高い城の男』『ユービック』など。

＊5　Ｊ・Ｇ・バラード。一九三〇～二〇〇九年。ニューウェイブＳＦの旗手として登場以来、実験的、前衛的な数々の作品をのこす。『結晶世界』『クラッシュ』『太陽の帝国』など。

春菜　早川書房、東京創元社の本はかなり揃ってたよね。サンリオはそれほどではなくて、二十冊ぐらい。

夏樹　サンリオSF文庫[*6]はマニアックだったね。そのぶん、いまは古本で高い値段がついてるみたいだけど。

春菜　サンリオがユニークなのは、他社にないヨーロッパや中国のSFが入っていたところ。「これはSF？」と思うような作品もあったし、サキの短篇集まであった。

夏樹　あったね。

春菜　あれでSFというジャンルの幅広さを知った。わたしにとってSFは、サイエンスじゃなくて思弁小説に近い。わたしたちが知っている世界や物事に、ifをひとつ入れてみる。そのifがあることで、世界がどう変わっていくかシミュレーションをする。それがspeculative fiction。「試験管の中で」「人体の中で」という意味で、in vitro、in vivoという言葉があるけど、それを「小説の中で」、in novelaでやってみる。それがわたしの考えるSFです。

夏樹　その典型がバラードだね。「世界から風が止まらなくなったらどうなるか」という設定の『狂風世界』とか。まず、ある状況を用意して、そこからストーリーが展開する。それが決して良い方向に作用しないところが、どの作品にも共通していてね。バラードには特有の「世界が壊

＊6　一九七八から八七年にかけて、サンリオが刊行していた文庫シリーズ。ウィリアム・バロウズやアルフレッド・ジャリ、老舎といったユニークなラインナップが揃っていた。

れていく」という感覚があるんだ。あれはやはり世界大戦後に生まれた小説だな。

春菜　その設定を「なぜ」という視点で掘り下げるとサイエンスになる。そこが曖昧なままで、「なぜ」が明らかにされないと、今度はファンタジーに近づいていく。それこそマジックリアリズムの世界。そういう小説だとifが起こっていても世界は変わらない。つまり、より広義の意味での「お話」になっていく。

夏樹　まさにそうだね。

春菜　だれでも自分が想像しえるものには限界がある。ただ、世界が箱庭だとしたら、その壁をパタンと倒したり、普通じゃない場所に置き換えたりして、想像力の限界を超える、それを可能にするのがSFだと思う。小説の中でも際だって自由、一番自由なジャンルじゃない？　制約がない、規制がない。

夏樹　ただ一方で、文学は制約があるから書けるってこともあるよ。俳句、短歌がいい例でね。

春菜　そうか。SFの中に小ジャンルがいろいろ生まれたのは、あえてその制約を楽しもうという側面があるのかも。タイムスリップ物なんてミステリーの方法論だもの。辻褄をどうやってきれいに合わせるか。

夏樹　現代物でありながら歴史を書くこともできるしね。

春菜　スペースオペラってカテゴリもありますし。
夏樹　ありましたね。
春菜　エドモンド・ハミルトン。[*7]
夏樹　いや、もっと前。レンズマンのシリーズ。『三惑星連合軍』[*8]。けっこう好きだったよ。

好対照のディックとヴォネガット

夏樹　ぼくの場合、いまだに読むたびに「この人の言う通り」と感じる作家がディックなんだ。ディックの描くディストピアは圧倒的。たとえば、普通のサラリーマンが朝起きて会社へ行こうとすると、ブーンと何かが跳んで来る。何かというと、なんと「借金返済虫」。この虫が耳元で「借金返しなさい、返しなさい」ってささやきながらずっとついて回る。そういう悪夢のような小説をいくつも書いた人。ディックは資本主義のディストピアを描くのが本当にうまい。
春菜　細部だけでなく、根本にある人間性の描き方のリアリティがすごい。読むとヒリヒリする。「この人は人間が嫌いなんだな」ってよくわかる。
夏樹　ハッピーエンドになるはずがない話ばかりでしょう。でも、それ

*7　一九〇四〜一九七七年。「キャプテン・フューチャー」シリーズなどで知られる。
*8　E・E・スミス作のスペース・オペラ「レンズマン」シリーズのひとつ。一九三四年刊。

でいてロマンチックなところもある。『ブレードランナー』[*9]がいい例だ。

春菜　ディックとまるで逆なのがヴォネガット[*10]だね。意地悪なお話をいっぱい書いているように見えて、「この人は人間が好きなんだな」と思う。どうしようもなく人間が好きで、でも何度も裏切られて、そのたびにへそを曲げて、「おまえらなんて大嫌いだ!」って悪態をついてしまう。なのに、しばらくすると「寂しいから、たまにはメシぐらいならいいよ」とつい言ってしまう、みたいな(笑)。

夏樹　ヴォネガットの背景にあるのは、ひとつは戦争体験なんだ。ドレスデンの空襲が描かれた『スローターハウス5』[*11]がそうだよね。あともうひとつは完全なファンタジーの世界。ほかの星へポンと行ってしまう、それもファンタスティックな行き方でね。『タイタンの妖女』[*12]とか。さらにもう一つ、普通の現代小説も書いている。ぼくが訳した『母なる夜』[*13]がそう。この作品ではSF的なガジェットは何も使っていない。

春菜　ヴォネガットって初期はお金のために書きまくってるよね。まるで短篇製造マシン。その時期のものはさすがに今読むと玉石混交。でも石の中にも嫌いじゃないと思える作品があるの。なんだかんだでやっぱりアイデアが見事。

夏樹　たしかフランケンシュタインの話があったな(「不屈の精神」[*14])。アンソロジーに入れるからという話があって、以前翻訳したことがある。

＊9　『アンドロイドは電気羊の夢を見るか?』を原作とした映画作品。一九八二年公開。

＊10　カート・ヴォネガット。一九二二〜二〇〇七年。皮肉でユーモラスな語り口による数々の作品で知られる。二十世紀アメリカ文学を代表する作家の一人。

＊11　時間旅行者となった主人公が垣間見る、人生の断片の数々と歴史のアイロニー。著者の空爆体験を反映した半自伝的作品。一九六九年刊。

＊12　記憶を失い、火星、水星から太陽系へさすらう男、そして人類の運命をシニカルに描く。一九五九年刊。

＊13　第二次大戦中、アメリカとナチスの二重スパイだった男の悲劇的物語。池澤夏樹による翻訳は白水社より一九七三年刊。

＊14　風間賢二編『フランケンシュタインの子供』(角川ホラー文庫、一九九五)収録。

春菜　ディックとヴォネガットは、同じような作品を書いても出発点が正反対。そこが面白い。

夏樹　そうだね。あとヴォネガットには明確な政治思想があった。「自分は社会主義者だ」と明言していて、それが若者たちに熱狂的に支持された原因でもあった。彼は一九六〇年代カウンター・カルチャーのヒーローだったからね。

ハードSFだってこわくない

春菜　今話したスペキュレイティブ・フィクションの流れとはまた別に、ハードSFの流れもあるよね。J・P・ホーガン[*15]とか。

夏樹　『竜の卵』[*16]とか。ぼくはもともと理科系だから、ハードSFはけっこう好きだけど、きみの場合どうなの？

春菜　すこしは読むよ。わからないところもあるけど、そこは飛ばします。

夏樹　うん、その読み方は正しい。

春菜　たとえば江戸時代のお話でも、当時の風習でわからないことはたくさんある。天水桶といわれても、具体的にそれがどのぐらいの大きさで、町中のどこに置いてあるかまでは普通わからないよね。それでも問

＊15　一九四一〜二〇一〇年。科学的合理性を重視するハードSFの巨匠として活躍。著書に「巨人たちの星」シリーズ、「造物主（ライフメーカー）」シリーズなどがある。

＊16　ロバート・L・フォワード作。中性子星に住む知的生物チーラと人類のコンタクトを描く。物理学者である著者の科学的知見とSF的想像力が一体となった名作。一九八〇年刊。

題なく楽しく読める。

夏樹　それはそうだ。

春菜　同じように、SFがどんなに遠い未来や遠い世界のことを書いていても、根本には私たちと同じ人間がいる。だから人間のラインで追っていくと、科学のラインがわからなくても、ちゃんと面白いんだよね。決してわかりにくいようには書かれていないから。モノによっては一見難しそうに思えるんだけど、結局「こっちからバーンってやって、こっちドーンとやると、ピカーンってなって、大変でしょ?」みたいな。

夏樹　はあ（笑）。

春菜　……つまり人間たちのアクションというか、ドラマがある（笑）。で、その「バーンとやってドーンとやってピカーン」がわかれば、「ああ、みんな大変なんだ」と思える。そうすれば、「中性子星がどうした」という部分が完全にはわからなくても、ちゃんと理解はできます。だから、「SFは難しい」と言う人には、「大丈夫。たぶんみんな書いてあることを一〇〇%はわからないまま読んでるから。お話を楽しんでください」と言いたい。

夏樹　ぼくにとってハードSFを読む楽しみは、「あるものとあるものがどうつながっているか」がポイント。たとえばわれわれの体は分子でできている。だから、基本の力は、分子間引力ということになる。それに対して中性子星では、核力でつながっている。分子間引力と核力はまずスピードが違う。その核力の世界と人間の世界をどうやればコミュニケートができるか。これはつまり、核力で生きている生物体があっという間に進化するとして、普通の生物の十億年かかる進化を、その核力のところでは十年ぐらいでやっちゃうんだ。反応速度が違うから。そんな設定にしたうえで「さあ、これをどうつなぐか」。そこが読みどころ。出来がよければ「なるほど、うまいこと考えたね」となる。ホーガンもそうだよね。

粘菌の知性

春菜 今の話とまったく逆の設定の小説を読んだことがあるよ。どういう小説かというと、まず人類がとある惑星に移住するところから始まる。そこは植物が生い茂っていて豊かな星。ところが、あるときからなぜかふだん食べていた木の実が猛毒に変わってしまう。普通ならそんなことはありえない。何が原因なのか。その謎をめぐって物語が展開していくわけ。

夏樹 それは知らないな。

春菜 で、タネあかしをしちゃうと、じつはこの植物は、本当は植物ではなくてこの星の住民だったの。つまり異星知性ね。でも植物だから人間とは生きる時間感覚がまったく違う。非常にゆっくり育っていく。外界の認識もとてもゆっくり。人間がその星に移住して何十年か経ったあたりでようやく、「虫が最近増えた気がする」と気がつく、それくらいゆっくりした認識。あ、虫っていうのは人間のことね（笑）。そこから「じゃあその虫を退治するものを作らねば」と考え始める。そんな時間の中で生きている、意思の疎通が図れない生物と人間がどうコミュニケーションをとるか。どう一つの星に共存していくか。それを七世代にわたって飛び飛びで描く雄大な物語なんです。

夏樹　何ていう小説？

春菜　『セミオーシス』[17]。星に着いたばかりの頃、その子どもたちの世代、それからの時代、というオムニバスのスタイルになっていて、書かれる時代が断絶しているからへんにウエットにならないの。

夏樹　面白いね。ぼくは以前、「樹木論」[18]というエッセイを書いたことがある。そこで考えたのは、「樹木は物を考えているか」という問題。「あれだけ大きくて寿命も長いんだから、考えるとしたら非常に哲学的なことを考えているに違いない」と。「なぜ自分はここにいるか」、「なぜ世界は存在するか」。そんなことをじっと考え続けて、三百年ぐらい経つと「結局わからなかった」。で、ドスンと倒れる。そういうイメージで

＊17　スー・バーク作。二〇一八年刊。

＊18　『母なる自然のおっぱい』（新潮社、一九九二年）収録。

樹木の一生を描いた。

春菜　それで言うと、わたし、キノコは物を考えるんじゃないかと思っている。タコは体中にいっぱい神経節があって、それが分散した脳と同じ働きをするというけど、だったらキノコもひょっとして？って。

夏樹　『タコの心身問題』[*19]という本が話題になったよね。

春菜　キノコは山中に菌糸を張り巡らせてネットワークを作っているの。

夏樹　菌糸があちこちに。

春菜　そう、菌糸のネットワークを通して、キノコが会話をしているとしたらどうか。たとえば「あっちのほうで木が倒れていておいしそう」という情報が、菌糸を通してやりとりされているとしたら。それはもう一つの立派な知性だよね。

夏樹　こちらの森とあちらの森が、菌糸という通信網でつながっている。

春菜　それを知ると、じつはわたしたちって大きな異星人と一緒に暮らしているのかもしれないって思えない？　異星人というか、地球上でこれまでちゃんと見えていなかった何らかの生命体。そういうｉｆが面白いよね。ＳＦ的。

夏樹　実際、粘菌は相当な知性を持っていると言われるね。

春菜　たとえば、ある場所からある場所への最短距離を粘菌でシミュレーションすることができる。常に最短最適なルートを選びつつ広がって

＊19　ピーター・ゴドフリー＝スミス作。人間と全く異なる経路で「心」「知性」を獲得したタコの謎に迫る。二〇一六年刊（翻訳はみすず書房より二〇一八年刊）。

いく。完全に知性の働きだよね。

夏樹　粘菌の動きに任せて地図を作れるんだ。粘菌は自分が嫌なものには決して近づかない。嫌がるものを避けるこの動きを地図のフレームとして考えてみることもできる。粘菌の動きをたどりつつ、山脈なり土地の高低を作らせる。すると最終的にできた図形はたとえば北海道の道路地図になっているんだ。ただ、粘菌同士が具体的にどう連絡し合っているかまではわからない。放っておくと自然にそうなる。しかも、その道はそれぞれの交通量に応じて太さが違ってくる。じつに不思議なんだ。

春菜　幹線道路がちゃんとある（笑）。

夏樹　そう。粘菌の話とＳＦってつながっているんだ。

ＳＦの不思議な生物たち

春菜　ＳＦも人によって好みのジャンルがあって、スペースオペラが好きな人もいれば、ハードＳＦが好きな人もいる。ミステリーと同じ。謎解きが好きな人、パズル系が好きな人、ちょっと不条理な感じのものが好きな人……。

夏樹　暴力系もある。

春菜　警察小説が好きな人もいる。

夏樹　さらに警察小説の中にも悪徳警官物と良い警官物と両方ある。

春菜　みんな小ジャンルごとに好き嫌いがあるね。たとえばわたしは軍事物が苦手。でもあれだけ本が出ているってことは、確実に好きな人たちがいるんだよね。

夏樹　荒巻義雄[*20]みたいな疑似歴史軍事小説とか？

春菜　「オナー・ハリントン」シリーズ[*21]とか。苦手な理由の要因のひとつには、まず軍隊の階級がわからないこと。

夏樹　なるほど（笑）。

春菜　覚えられないの。あと、軍事物ってだいたいバカな人が出てきて、そのせいで人災が起こる。愚劣な上官やら突っ走る部下やらが原因で嫌な展開のスイッチが入るパターンが多い。そこも苦手。ホラー映画で「俺だけ助かるんだ！」って外に逃げて行く人間がいるじゃない？　そいつが扉を開けっ放しにしたせいで、結果的にゾンビを屋内に招き入れちゃうみたいな。ああいう人災からの鬱展開が読んでいて嫌なの。

夏樹　ぼくは今の話で『宇宙船ビーグル号』[*22]を思い出した。

春菜　『ビーグル号』は軍事物ではないから。あれは大丈夫。

夏樹　ビーグル号というのはダーウィンが世界一周した船のことね。『ビーグル号航海記』という記録も岩波文庫から出ている。『宇宙船ビーグル号』はそれをふまえている。こちらのビーグル号は宇宙のあちこちへ

＊20　一九三三年生まれ。『紺碧の艦隊』などで知られる架空戦記小説の代表作家の一人。

＊21　デイヴィッド・ウェーバー作。遠未来の銀河系を舞台とするSF戦記シリーズ。『新艦長着任！』『グレイソン攻防戦』など。

＊22　A・E・ヴァン・ヴォークト。科学者と軍人たちを乗せ宇宙を旅するビーグル号が遭遇する宇宙生命体との死闘を描く。一九五〇年刊。

飛び、科学研究をするのが目的の船。面白いのは、この船には専門家が何人もいるんだけど、中に一人だけ、グローヴナーという「総合思考」の人がいるんです。作中ではこれをネクシャリズムと呼んでいる。そいつが柔軟な物の考え方をするおかげで、毎回襲ってくる危機から脱出する方法を見つけ出す。

春菜　言ってみれば監督だね。カメラのプロがいて、衣装のプロがいて、という具合に何かのプロがいて、それを全部まとめる役割。俯瞰で見る立場。

夏樹　そう。ふだんは「あいつはいったい何をしてるんだ?」と言われるようなヤツなんだけど、ピンチになるとふいに役に立つことを言う。あの小説で、霧のような生物が出てくるのを覚えてる?

春菜　集合知性みたいな?

夏樹　そう。生物って基本的には膜で包まれているわけ。内側に有機物と水があって、その膜によって中と外が区切られている。それが個体ということでしょう。ところが、それがどこまでも広がる生物が登場する。しかもその生物の間には連絡があって、ひとつの意志を持っている。敵に回すと退治のしようがない。不定形に広がっていくんだからね。

春菜　ちょっと粘菌的?　クァールも『ビーグル号』だよね。クァールって黒い豹みたいな生き物で、肩から触手が二本ニョロッと生えていて、大変かわいい。でもめちゃくちゃ強くて、塩素が大気の主成分の星にいるのに、酸素も呼吸できるし、フッ素や真空中でも生存可能。超強力。

夏樹 個体でない生物が出てくるといえば『ソラリス』[*23]もそうだね。あの小説では、海が一つの意志として描かれている。

春菜 『カエアンの聖衣』[*24]もそうだよ。『カエアンの聖衣』は、惑星全体を覆う地衣類が一つの集合知性になっているという話。コケが自分たちの体を使ってスーツを仕立てるの。「フラショナル・スーツ」というんだけど、それは着た者に凄まじいカリスマを与える効果がある。でも一方で、その人をコケの操り人形にしてしまう。

夏樹 面白いね。登場する生物の意外性やバラエティはSFが一番だね。

SFと現代文学

夏樹 最近読んだSFで感心したのは、円城塔[*25]の『文字渦』[*26]。科学小説だけど、空想の部分が少なくて、科学の方法論をうまく使って書かれている。でも、非常にわかりにくい。要はとても高級な冗談なんだけど、高級過ぎてわからない人が多そう、という小説。

春菜 どんな話だっけ?

夏樹 短篇集だから「緑字」を例に挙げれば、太陽系全体に膨大な文字

＊23 スタニスワフ・レム作。意思を持つ海に覆われた星を舞台に、人類と異質な知性体とのコンタクトを描く哲学的SF小説。一九六一年刊。

＊24 バリントン・J・ベイリー作。「服は人なり」という独自の世界観を持つ星カエアンの衣装に秘められた謎とは? 奇想溢れる服飾SF。一九七六年刊。

＊25 一九七二年生まれ。二〇一二年「道化師の蝶」で芥川賞受賞。著書に『Self-Reference ENGINE』『これはペンです』など。

＊26 新潮社、二〇一六年刊。日本SF大賞受賞作。

の鉱脈が見つかる。そこで掘り出した文字をたくさん機械的に処理していくと、その中に時々緑に光るやつがある。それも人偏だけが光ったりする。そんな話。ちなみにこの「たくさん集めて処理をする」ところは、キュリー夫人のラジウム実験のエピソードによく似ている。きっと意識して書いたはずだよ。

春菜　光るし？

夏樹　そう。キュリー夫人はピッチブレンドという鉱物の精製した残りカスをただで分けてもらい、それを毎日十キロ、二十キロ処理する作業を何百回と繰り返したという。それでようやく測定可能な微量のラジウムを分離した。「緑字」は、このエピソードをそのまま文字の話に移し替えている。

春菜　円城さんはその手のプラクティカルジョークを仕掛け続けるよね。ところがそれをすごい精度で作り上げるから、みんな「ははあ」って感心して笑ってもらえないという（笑）。

夏樹　「ジョークなのに」って（笑）。

春菜　文学界でSF畑出身の人、今はとっても多いね。SFとSFじゃないものの境界が曖昧になってきてる。少し前は「SFなんて売れない」って風潮だったのに。

夏樹　一部のマニアに向けたジャンルだと思われていた。

春菜　それが今ではSFなのが当たり前になってきた。「何がSFで何がSFじゃないか」なんて考えなくても自然に受け入れられるようになったよね。高山羽根子[*27]さんもそうでしょ？　深緑野分[*28]さんもSFの人だし、宮内悠介[*29]さん、藤井太洋[*30]さん、みんなそう。

夏樹　宮内と藤井は読んだ。面白かったよ。このあいだある雑誌で、平成の文学について対談をしたんだ。そこで平成の文学がそれ以前と変わった大きな点として、ジャンル間の壁が低くなったという話が出た。たとえば高村薫[*31]。彼女の出発はミステリーだけど、その枠におさまりきらないシリアスな小説を次々に書くようになった。それと逆に、シリアスな小説を書いていた作家がエンターテインメントを書くケースもある。ぼくで言えば『アトミック・ボックス』[*32]がそうかな。みんなずいぶん自由になった。今のSFの話もそういう展開の一つだね。

春菜　何らかのジャンルが出来上がるまでって、まるで『古事記』の国生み神話みたいなイメージがある。はじめはふわふわと漂っていた何かがだんだん凝って、「SF」「ファンタジー」「ミステリー」のようなジャンル文学になっていく。でも現代の日本では、ジャンルが解体されて、もう一度ふわふわした状態に戻ろうとしている。ジャンル文学はその繰り返しなのかもしれないね。これは日本的な現象ではなくて、世界的にもそうなのかな？

＊**27**　一九七五年生まれ。二〇〇九年「うどん　キツネつきの」でデビュー。著書に『オブジェクタム』『如何様』など。

＊**28**　一九八三年生まれ。二〇一〇年「オーブランの少女」でデビュー。著書に『分かれ道ノストラダムス』『ベルリンは晴れているか』など。

＊**29**　一九七九年生まれ。二〇一二年『盤上の夜』で日本SF大賞を受賞。著書に『カブールの園』『遠い他国でひょんと死ぬるや』など。

＊**30**　一九七一年生まれ。電子書籍のデビュー作『Gene mapper』以降、次々に話題作を発表。著書に『ビッグデータ・コネクト』『ハロー・ワールド』など。

＊**31**　一九五三年生まれ。著書に『マークスの山』『レディ・ジョーカー』など。

＊**32**　亡き父が関わった国家機密を知ったヒロインが、公安警察から逃れつつ父の秘密と謎へ迫る冒険小説。二〇一四年刊。

夏樹　世界的な現象だと思う。

春菜　最近のヒューゴー賞やネビュラ賞の作品を読むと、社会的なメッセージのある作品がとても多い。たとえばN・K・ジェミシン[*33]。彼女はソーシャルネットワークと社会の関係をどう小説に落とし込むかをテーマにしている。大枠としてはエンターテインメントだけど、それと同時に小説がメッセージを発信するためのツールにもなっている。この昨今の流れを見ても、SFは狭いジャンルの枠をはずれて、もう一度拡散していこうとしているように見える。

夏樹　世界文学を見渡しても、SFと親和性の高い作家、作品ってかなり多い。たとえばラテンアメリカ文学で一番SFに近いのはボルヘス[*34]かな。

春菜　でもボルヘスはSFだと思って書いてないでしょ。

夏樹　そういう意識の問題はあるね。でも、「バベルの図書館」の無限に続く図書館のイメージなんて十分SFだよ。

春菜　外から見るとSFなんだよね。ただ、ラテンアメリカ文学の一ジャンルとしてボルヘスがSFかといわれると、違う気がする。そのあとに続く人たちもいないし。

夏樹　それはそうだな。

春菜　ボルヘス的なもの、ボルヘスSFの衣鉢を受け継ぐ流れができた

*33　一九七二年生まれ。著書に『空の都の神々は』『世界樹の影の都』など。フェミニスト、反人種主義者を自認している。

*34　ホルヘ・ルイス・ボルヘス。一八九九〜一九八六年。夢、迷宮、書物、宗教などをモチーフとする幻想的作品で知られる。著書に『伝奇集』『砂の本』など。

ら、それはジャンルとして成立したといえるだろうけど、そこまでには至ってない。

夏樹　ＳＦって地域性の問題もあるんだ。アメリカから始まってイギリスに行き……という軸になる大きな流れがあったうえで、ひょいとロシアや東欧から良い作家が出てきたりする。ストルガツキー[*35]、あるいはレム[*36]みたいな作家がね。最近では中国。

春菜　『三体』[*37]は日本でも大ヒットしたよね。

夏樹　『セレモニー』[*38]なんて今（二〇二〇年）のパンデミック騒ぎそのままだよ。

神話・宗教・ＳＦ

春菜　わたし、ＳＦは形を変えた神話だと思う。神話って文化がある程度育ったあとに生まれるじゃない？　それまでは民間伝承としてバラバラに存在していた世界に共通項が見出されて、それが神話として整理される。

夏樹　その過程で体制化していく。

春菜　社会がある段階に進むと神話を必要とするようになる。過酷な現実に対する逃避や未来に対する祈り、そういうさまざまな役割を宗教が

＊**35**　ロシア（ソビエト）のアルカジイ（一九二五～一九九一）、ボリス（一九三三～二〇一二）兄弟作家。著書に『ストーカー』など。

＊**36**　一九二一～二〇〇六年。ポーランド出身。著書に『ソラリス』『完全な真空』『虚数』「泰平ヨン」シリーズなど。

＊**37**　劉慈欣作。異星人と人類との攻防を描く三部作の第一作。アジア圏の作品初のヒューゴー賞作。第一部は二〇〇八年刊。

＊**38**　王力雄作。共産党の祝賀行事と北京万博の年に起こった感染症パニック。その背後でうごめく暗殺計画とは？　中国本国では未公刊の政治ＳＦ。

負わされるようになる。そう考えると、一つの社会とそこに生きる人間の信仰がある形にまとまると、必然的にＳＦになるんじゃないかという気がする。

夏樹　ある社会の長い年月にわたる変化は、ＳＦとして書けるよ。神話や宗教はいかに成立するかをたどるＳＦとしてね。

春菜　わたし、「ＳＦ的世界における宗教とは何か」を考えたことがあるの。

夏樹　というと？

春菜　宗教はまず絶対的に内側と外側を分けるところから始まるよね。信じる人と信じない人を分ける。ただ、ＳＦのスケールでそれを考える時、宗教が伝播する距離が問題になると思うの。それは物理的な距離だけじゃなくて時間的な隔たりを含む距離の問題。

夏樹　どういうこと？

春菜　たとえば広大な宇宙のこちらで新しい教義が起こったとして、それがあちら側まで伝わるのに百年かかる、ということが起こり得る。でもその間にこちらでは百年後は別の教義が生まれているかもしれない。そんなふうにあちこちでタイムラグが発生する。それが延々続くとどうなるか？　対立や葛藤がどんどん曖昧になったあげく、最終的には「何でもいい」となるんじゃないかと。

夏樹　「もう議論はやめよう」と。

春菜　「あなたが幸せならわたしも幸せ。それで全部ＯＫ」。ということは、ＳＦ的な宗教、宇宙的な宗教って結局脱宗教になるんじゃないか。宇宙規模で見れば、それぞれが形も違うし、生きていく上で必須の条件も違う。人間なら太陽は神様になるけど、逆にそれが悪魔になる世界があるかもしれない。あるいは太陽そのものを知らない世界もあり得る。とすると、宇宙的な宗教ってどんどん「何もないもの」に近づいていく。そういう結論になりました。

夏樹　金星に生物がいても太陽の存在を知らないと思うよ。金星の大気はずっと曇っているんだから（笑）。

春菜　ＳＦの発想ってそういう思考のトレーニングになる。

物語の育て方

夏樹　ＳＦのＳが「スペキュレイティブ」をも指すってことの意味はたしかにあるね。ＳＦはどこかで必ず世界論になる。世界という概念が非常に強いジャンルなんだ。ミステリーだとそうはならない。

春菜　ミステリーはもっと狭い世界だね。

夏樹　ミステリーは非常に狭い場所で成立してしまう。

春菜　極端な話、部屋が一つあればいい。

夏樹　「三人のうち一人が死んだ、残った二人のどちらが犯人か」。これだけで成立する。しかし、ＳＦはそうじゃない。必ずどこかで世界のありよう、宇宙のありようにつながってしまう。

春菜　それがＳＦの特性であると。

夏樹　うん。ところでぼくは自分の本のタイトルに「世界」という語を使い過ぎる傾向がある。これは反省を込めて言うんだけど。「またやっちゃった」と思うことがあるよ。

春菜　わたしも。つい「世界」という言い方をしちゃう。「これではいかん」という自戒を込めて、書いたあとにいったん検索をかけるようにしてます。

夏樹　この傾向は自分が理科系であることの美点であり欠点だと思う。ついそういう構図で小説を考えてしまう。反省しつつ、どうしようもない欠点でもある。要するにぼくは人間そのものに対する関心が薄いんだろう。まず世界という大きな枠を考えて、人物をその中で操り人形のように動かす書き方をしてしまう。でも仕方がない。それは資質だから。

春菜　思わぬ告白が（笑）。

夏樹　ほかの作家の小説を読むと、「みんな本当に人間が好きだな」と思うよ。人間の楽しみや苦しみにまつわるあれやこれやが好きなんだなって感心する。たとえば角田光代[39]がそう。そういう点でぼくは全然かなわないと思う。

春菜　ある時、いろんな作家に「物語の最初の種はどうやって出てくるのか」をたずねたことがあったの。答えは人それぞれで、「会話が聞こえる」という人もいた。その会話に耳をすまして、「この人たちはなぜこんな話をしているのか」を考えて前後を広げると物語になると。「景色が見える」という人もいた。「崖の上に人物が二人いて、一人は馬に乗っている」という光景がふと見える。そこから物語が展開する。会話や景色ではなく、世界のありようから考えるという人もいた。「この世界はどんな経済システムで動いていて、どんな生態系で、どんな歴史があるか」をパズルのように組み立てて、そのうえで「そこにいる人は何をするのか」を詰めていく。みんな出発点が全然違う。面白かった。

夏樹　ぼくの場合で言うと、書き始めた当初は舞台を設定していた。舞台というのは具体的には島。島は閉じた世界だから、物語が組み立てやすいんだ。まず舞台を作る。そこへさまざまな人が出たり入ったりするうちに予想外の出来事が起こる。そういう方法を使って書いた。

春菜　『フルハウス』[40]みたい。シチュエーションコメディの方法論だね。家を一軒、部屋を一室用意して、そこに誰かがやって来る。「私の◯◯知らない？」、「さっき××が持って行ったよ」。で、お話が展開していく。

＊39　一九六七年生まれ。二〇〇五年、『対岸の彼女』で直木賞受賞。著書に『空中庭園』『八日目の蝉』『笹の舟で海をわたる』など。夏樹は『八日目の蝉』文庫版解説を書いている。

＊40　アメリカのコメディドラマ。一九八七年から一九九五年にかけて放映された。

夏樹　映画で言うと『グランド・ホテル』[*41]方式ね。この手法の典型的な例は『マシアス・ギリの失脚』[*42]だけど、あれは最初に島の地図を作ることから始めたんだ。

春菜　『南の島のティオ』も？

夏樹　『ティオ』は、ある程度現実のモデルがいたから。島は実物。きみも知っているポナペ島（今はポンペイと呼ぶ）。現実にある島です。地名は変えたけどね。そこに暮らす男の子から物語が動いていく。単純な、よくある短篇連作の作り方。物語の舞台をホテルにする。そうすると人の出入りが生まれるから、毎回何か事件が起こる。一話完結のテレビドラマみたいなものだ。

春菜　各話ゲストが登場する例のパターン？

夏樹　連作短篇の定番スタイル。さすがにもう島の設定は使わなくなったけどね。と言いつつ、『アトミック・ボックス』は島の設定だな（笑）。

春菜　そういう発想法にＳＦが好きだった影響はある？

夏樹　非常にあると思う。困っている人間を考えて、それをもっと困らせるとか、苦労の末に問題を解決させるとか、要は人間から話を広げる発想がぼくにはあまりない。それより世界図から人を動かす形で書いていく。だからぼくの小説には移動が多い。人物をずいぶん移動させているよ。『のりものづくし』[*43]って本を書いたぐらい、乗り物が好きってこ

＊**41**　一九三二年公開のアメリカ映画。あるホテルに集ったさまざまな人物の物語を並行して描く群像劇の形式で知られる。

＊**42**　南洋の架空の島の独裁者の生涯を魔術的リアリズムの手法で描ききった長篇小説。一九九三年刊。

＊**43**　中央公論新社より二〇一八年刊。

ともあるんだけど。ぼくにとって「移動すること」は重要なんだ。

移動する感覚

春菜　移動の感覚って面白いよね。自分の中の点と点が線でつながる瞬間がある。飛行機なんて飛行中ずっと機内に閉じ込められて、外側は見えないか、見えてもほとんど同じ景色。ところが乗ったときと降りたときとで立っている場所が全然違う。すごいことだよね。今まで何百回も乗っているけど、毎回すごいと思っちゃう。飛行機に乗っている時間ってどこにも属さない時間。国境がなくなるし、時間も日付変更線をまたいだりするうちに曖昧になる。時間も空間も、すべての境界が曖昧になる。虫は成虫になるとき、サナギの中で体が溶けるけど、そんな感覚に近い。

夏樹　ぼくは小学校以前は、帯広に住んでいた。帯広は平原の真ん中にある町。当時、父と母とぼくは別居していて、彼らは東京にいた。だから東京という地名は知っていた。駅から列車に乗ると東京の上野という駅に着くことも知っていた。遠くには東京がある。その手前には札幌がある。札幌には伯母が住んでいたから、その距離感は理解していた。あの頃のぼくは、駅に行ってはその先にある札幌や東京のことを想像していたんだ。帯広の駅に行くと汽車が走ってくるのが見えるからね。

春菜　帯広のはるか向こうに東京が見えていた。

夏樹　うん。子どもの頃は汽車が大好きで、汽車がぼくの神様だった。あの大きな鉄のかたまりが動くようすに魅了されていた。当然だけど蒸気機関車って前に立つと熱いのよ。その熱に陶然としたものです。ほとんど息もできないくらいにね。

春菜　「鉄オタ」[*44]だったのね（笑）。

夏樹　もうひとつおぼえているのは、線路のこと。線路はずっと先までつながっているでしょ。そこを汽車が走っていくと別の土地へたどり着く。岐路がいくつもあり、そのあいだはつながっている。要するに世界の基本構造だよね。ぼくはそれを線路から学んだ。線路を一本敷く、またもう一本敷く。さらにもう一本敷く。それを重ねていくだけで、どこかよその場所へ続いてしまう。その営みの原理に感動した。

春菜　パズルのピースが埋まるような？　自分がいる場所があり、そのまわりにピースを足していくといつのまにか世界地図ができる。そんな感覚なのかな。

夏樹　そう。ぼくはただそこにいて、線路を見ているだけなのに。

春菜　そういう驚きがあった。

夏樹　その頃ぼくは足し算の原理しか知らなかった。「ここに一本を置く、

＊44　鉄道オタク（鉄道ファン）の略称。

次を置く、次を置く、また次を置く」。すると隣町まで行けることを理解する。足し算で世界を知る。でも大人は掛け算で世界を考える。「これだけの距離でレールの長さが何メートルだから、枕木は二万本あればいい」とか。「ずるい」と思ったな（笑）。

春菜 足し算の世界を生きる子どもと、掛け算の世界を知る大人。

夏樹 掛け算がわかればより次元の高い世界観が形成できるんだけど、子どもだったぼくはまだ原始的な段階に留まっていたわけ。

春菜 飛行機はどっちだろう？ 括弧の中がどうなっているかわからない式、かな？

夏樹 飛行機はね、タイムトンネル。

春菜 そうか（笑）。わたし、飛行機は大好き。パパの汽車がわたしにとっては飛行機。飛行機は日常生活で触れることができる、一番大きくて精密で美しい機械だと思う。

夏樹 でも飛行機には一つ宿命がある。それは、離陸したら必ずどこかへ着陸しなきゃいけないってこと。汽車のように途中で止まるわけにいかない。

春菜 グルグルしない。

夏樹 うん。どこでもいいけど、どこかへ降りなきゃならない。ドクター・ヘリオットがパイロットだったとき、「練習中に自分の飛行場がわからなくなった」と書いてるけど、その不安はよくわかる。

春菜　サンテグジュペリもパイロットだったね。あの頃はまだレーダーも何もなくて、ほぼ目視だよね。

夏樹　そう。夜間飛行が始まったことが大した事件だった。そういう時代。

春菜　とすると、その頃の飛行機は鉄道的だったのかもね。1＋1の考え方の延長で、どこかへたどり着こうとした。

夏樹　そうだね。彼らは荒野を開拓して畑にするように、世界を開拓して航空路に置き換えていった。

春菜　空がフロンティアだった時代ね。

夏樹　第一次大戦のあとに飛行機が余ったせいでパイロットも余った。だけど、人や荷物は非力でまだ運べない。郵便機が生まれたのはそういう事情だったんだ。

春菜　それが『南方郵便機』[*45]の世界か。

夏樹　ところが、飛行機が夜休んでいる間も汽車や鉄道はどんどん先に進むから、負けてしまう。それで夜間飛行を始めたわけ。飛行場に照明施設を作ってね。操縦席にだって照明が要るしね。陸の次は海を征服しようと考えた彼らは、大西洋横断を始める。サンテックスが活躍したのはこの時代。最終的に彼らの飛行機はアンデス山脈を越えてチリまで行

＊45　サン・テグジュペリ作。郵便飛行機の操縦士が主人公のデビュー作。一九二九年発表。

く。

春菜　そうやって知らない土地をどんどん探検して地図の空白を埋めていった結果、今や地球上に知らない場所はほぼなくなった。グーグルアースを開けば、ギアナの大穴もどこもかしこも全部わかってしまう。

夏樹　最後に見つかった大きな土地がオーストラリアだね。あそこは南極大陸とつながっていると思われていたらしい。そういう「テラ・インコグニタ＝未知の大陸」はオーストラリアが最後。

春菜　いつしか世界は既知のものになり、コグニタになった。そのせいで、人の空間感覚はすっかり変わってしまった。

ＳＦの未来

春菜　今のは空間の話だけど、もうひとつ、時間つまり未来の感覚についても似た印象がある。二十一世紀になってもわたしたちは銀色のピッタリした服は着ていないし、食事は錠剤になっていない。車は空を飛んでいないし、月に別荘は持っていない。かつてのようには先が見えない。ヴィジョンがない。ここからＳＦはどうなるのか。一度はインナースペースに行ったけど、結局そこには答えがないから、どこまで掘っても面白くならなかった。

夏樹　凡百の人間論と同じことになってしまうからね。

春菜　ＳＦはどうなるんだろう？　ｉｆをどこにどう置くかが、ＳＦにとってたいへんな難問になっている。宇宙にだってもう夢はない。だって私たちは宇宙には行けないもの。今の文明の力にそこまでの余力はない。

夏樹　時間と空間を遠くへ飛ばしても、それはただそこに着くだけのことで、結局どこかで地球と似てきちゃう。何を変えても、「ああ、ここを変えたな」という程度しか変わらない。さて、ではどうするか。

春菜　『高い城の男』[*46]みたいな歴史改変ＳＦも、だいたい似たような物語になるし、ずば抜けたものはそうは出てこない。

夏樹　『ディファレンス・エンジン』[*47]や『パヴァーヌ』[*48]。優れた作品はあったけどね。

春菜　面白いものはあるけど、全体としては行き詰った感がある。歴史改変物は結局パズルの組み換えであって、そこから大きな物語にはなりづらいと思う。一時はよくとりざたされた言語実験やポストモダン文学、メタフィクションもあまり聞かないし。

夏樹　一通りのことをやっちゃったからね。

春菜　どんどん掘ってみたけど、さほど良い鉱脈ではなかったと。やればやるほど、何がメタなのか、何が実験なのかわからなくなって自壊し

＊46　Ｆ・Ｋ・ディック作。第二次世界大戦でナチス・ドイツら枢軸国が勝利した世界を描く。一九六二年発表。

＊47　Ｗ・ギブスン、Ｂ・スターリング共作。十九世紀ロンドンを舞台に、蒸気機関が異常発達した世界を描く。一九九〇年発表。

＊48　キース・ロバーツ作。カトリック教会が支配し、中世の封建制がつづく、もう一つの二十世紀イギリスを描く。一九六八年発表。

ちゃった印象がある。

夏樹　単発的にはすごい作家が出てきたんだけどね。

春菜　フラッシュアイデアとして面白いものは今後も出てくると思う。ただ、大きな流れになるものが出てくるかどうか……。SFにも大きな潮流みたいなものがあって、一九八〇年代ならサイバーパンク三部作[*49]とか……。

夏樹　ウィリアム・ギブスン[*50]ね。

春菜　サイバースペース物が盛り上がったときもあれば、外宇宙に目が向いたときもあるし、自分たちの内宇宙に目が向いたときもあった。

夏樹　進化論もあった。

春菜　ところが、今や現実がSFの想像力に追いついてしまった。というわけで、わたしたち、もう簡単に未来に夢は見られない。

夏樹　量子コンピュータも実用直前だしね。

春菜　かつて定番だったディストピアももう描けない。なぜなら現実がすでにディストピアだから。「もしかしたらこうなるかも」というゾクゾクを楽しむのは、自分が幸せな場所にいられるからでしょう。自分は幸せだけど、「この幸せはいつまでも続かない」とうっすら感じる状況だからそれが描ける。でも今、わたしたちはある意味ディストピアの中で生きている。だからその上それを書いても……。

＊**49**　ウィリアム・ギブスンの長篇『ニューロマンサー』『カウント・ゼロ』『モナリザ・オーヴァドライブ』をさす。

＊**50**　一九四八年生まれ。サイバーパンクSFの代表作家。著書に『ニューロマンサー』『あいどる』など。

夏樹　単にリアリズムでしかない。

春菜　かさぶたを無理やり剝がされる感じというか。かといって今さらユートピアを描くのは空々しい。現実が空想に追いつき、かつてのＳＦ的想像力に一つの結末めいたものが見えてきた。現代はそんな時代だと思う。それでもわたしはＳＦが好きで、ＳＦという分野に可能性を見出したい。この現実の中から新しい何かを生み出してくれることを信じたい。スペキュレイティブな思考実験を繰り返して、まだ見たことがないものを生み出すとしたら、それはＳＦしかありえない。ほかの小説ではなく、ＳＦだからこそできることがあるはずで、宮内さんや円城さんも、そういう意味でＳＦというジャンルの可能性に賭けていると思う。

夏樹　一番自分たちが書きたいものが書ける形だからね。

春菜　いい意味で、彼らは手段としてＳＦを使っているよね。あのお二人に関しては、目的としてのＳＦではなく手段としてのＳＦという感覚なのかも。

夏樹　円城塔が芥川賞を獲った時、ぼくは安心したんだ。「あとはまかせたよ」という気持で選考委員を辞めた後に、彼のような作家が登場したのは嬉しかった。

日本ＳＦのはなし

春菜　日本のＳＦについてはどう？

夏樹　それなりに読んだのは小松左京[*51]だね。

春菜　白状すると、わたしの読書歴には日本の古典ＳＦがみごとに抜けてるんです。なぜだかあまり楽しめなかった。そもそも子どもの頃うちの本棚に日本ＳＦが並んでなかったし。あれば読んだと思うけど……。

夏樹　『浮かぶ飛行島』[*52]はあったんじゃない？

春菜　海野十三[*53]までさかのぼれば楽しく読めるけど、小松左京や光瀬龍[*54]の時代になるとスポンと抜けてしまう。

夏樹　小松左京はサイエンスのアイデアを使ってうまいんだけど、きみの好みからすると社会性が強過ぎるのかもね。『日本沈没』[*55]がいい例で。

春菜　そうなの。時代に寄り添い過ぎているせいか、今読むとそこが気になって物語に入りこめない。

夏樹　ぼくも一通り読みはしたけど、真剣に読み込むというより、同時代の流行のＳＦとして手に取っていたかもしれない。

春菜　そうだ。そういえば、わたし、中学生のときにお友達がいたのね。キヨちゃんという子で、世の中からちょっとずれてしまう感覚が似ていて、とても仲良くなったの。で、ある時、彼女のお家に遊びに行ったら、

＊**51**　一九三一～二〇一一年。星新一らとともに戦後日本のＳＦ第一世代の作家と呼ばれた。著書に『日本沈没』『虚無回廊』など。

＊**52**　海野十三作の冒険科学小説。一九三九年刊。

＊**53**　一八九七～一九四九年。日本ＳＦの父とも称される。

＊**54**　一九二八～一九九九年。本格ＳＦからジュブナイル、時代物まで幅広い作品をのこす。著書に『たそがれに還る』『百億の昼と千億の夜』など。

＊**55**　小松左京作。大規模な地殻変動で日本列島が沈没する災厄をリアルに描き、ベストセラーとなった。一九七三年刊。

お家の中に本がたくさんある。しかもよく見ると、同じ人の本がいっぱいある。不思議に思って「キヨちゃん、この人の本好きなの？」って聞いたら、なんと「うちの父なの」って。「半村良[*56]っていうの」。

夏樹 ギョッ（笑）。

春菜 「じゃあ、うちと同じだね。うちも父が作家なの」なんて答えて（笑）。お互いに「作家の父を持つと大変ね」なんて言い合ったりして、より仲良くなった記憶があります（笑）。

夏樹 半村良といえば……。

春菜 『妖星伝[*57]』。伝奇物の作家というイメージがある。でもわたし、じつはその方面もちょっと苦手で。伝奇物も時代性を反映するところがあるでしょ。

夏樹 『石の血脈[*58]』は読んだな。ＳＦであるような、伝奇であるような、西洋でいう歴史ロマンスかな。未来が舞台の歴史ロマンス。

春菜 『戦国自衛隊[*59]』がそうだけど、ｉｆが過去に置いてあるんだよね。小松さんもそう。そこもピンとこないというか……。

夏樹 『戦国自衛隊』が角川で映画化されたときの有名なコピーが、「歴史は俺たちに何をさせようとしているのか」だった。あの頃、「春樹は俺たちに何を見せようとしているのか」って冗談で言ってたな（笑）。

春菜 （笑）。急いで付け加えますが、今の日本ＳＦは好きですよ。現代

＊56 一九三三〜二〇〇二年。さまざまな職業をへて、一九六二年「収穫」でデビュー。著書に『妖星伝』『石の血脈』『岬一郎の抵抗』など。

＊57 一九七〇年代に連載開始後、中断をはさんで九三年に全七巻で完結した長篇伝奇ロマン。

＊58 アトランティス、吸血鬼、狼男などオカルト的要素をつめこんだ伝奇ＳＦ。一九七一年刊。

＊59 武装した自衛隊が戦国時代にタイムスリップする架空戦記ＳＦ。一九七一年「ＳＦマガジン」に掲載された中篇小説。

の作品は「よし、読むぞ！」って気負わずに読める。彼らに社会性がないわけではないけど、みんなそれを前面に押し出さない。もっと軽やかなの。

夏樹　なるほどね。ぼくもＳＦ的に想像力を飛ばす作品をもっと書きたい。だけど齢を取って枯渇してくると、パターンに沿って作るだけになりがちなんだ。言いかえるとパターンさえできれば書けてしまう。これは自省をこめて言うんだよ。「日本がこっそり核兵器の開発をしていたらどうなるか」。それだけであとは展開できる、と思って『アトミック・ボックス』を書いた。これまで蓄えたスキルがあるからね。アイデアは貧しくてスキルがたくさん。それが齢を取るということかもしれないね。

春菜　まあまあ。お互い日本の古典ＳＦに弱いというのがバレたね（笑）。もう『マシアス・ギリ』みたいなアイデアは出てこないもの（笑）。

成熟期を迎えたＳＦ

春菜　昔、早川書房から「世界ＳＦ全集」の日本ＳＦ古典篇が出ていて、ラインナップを見ると宮沢賢治や稲垣足穂[*60]なんかが入っている。当時はＳＦという言葉はなかったし、書くほうも意識してなかったはずだけど、あとから「これも日本のＳＦだ」と位置づけたわけだよね。それをした

＊60　一九〇〇〜一九七七年。機械とオブジェ、飛行機、宇宙論などをモチーフに独創的な作品を多数のこす。著書に『一千一秒物語』など。

のが福島正実さんや伊藤典夫[*61]さん。その頃から「何がSFなのか」という論争が盛んになった。それはさっきの宗教の話じゃないけど、内と外を分ける作業だったんだと思う。

夏樹 それと当時のSF関係者にはコンプレックスがあったと思う。「SFはまともな文学じゃない」と言われていたからね。そんな声に対抗しようとすれば、おのずと「いや、『銀河鉄道の夜』だってSFだ」という話になる。

春菜 ジャンルを確立するのに懸命だったわけね。そのために過去の遺産をめいっぱい取り込んで箔をつけて、「こんなに素晴らしい作品がある」と言う必要があった。今はもうそんな気負いはないよね。「SFと言われてもいいし、言われなくてもいい。読む人にまかせます」という感じ。

夏樹 それが成熟ってこと。伊藤計劃[*62]や円城塔の登場にはそういう意味がある。

春菜 今の読者は、SF関係者がかつてコンプレックスを持っていたこと自体、知らないかも。

夏樹 そうだろうね。昔はみんな拗ねてたもの(笑)。

春菜 今はアニメにしてもゲームにしても、どこかしらにSFの要素が入ってきている。「日常系」のように普通の世界を描くアニメもあるけれども、ラノベの系統は、ほぼすべてSFが入っている。当たり前にな

＊61 一九四二年生まれ。翻訳家。一九六〇年代より海外SFを精力的に日本へ紹介。ブラッドベリやヴォネガット等数多の名訳で知られている。

＊62 一九七四~二〇〇九年。ゼロ年代日本SFを代表する作家の一人。著書に『虐殺器官』『ハーモニー』など。

っている。

夏樹　「話を広げるために日常の約束事を壊す」というＳＦの方法論がすっかり浸透した。ただ、そこだけで考えると、だんだん「小説の書き方」みたいな話に矮小化されちゃうんだ。たんなる手法の問題になってしまう。大沢在昌が「デビューしたあとに何を書くか」を話した講座が本になったでしょう。[*63] わかるけれど、でも一方で「小説はそこまで書きやすくなったのか」という気もするよ。

春菜　ディーン・R・クーンツにも『ベストセラー小説の書き方』[*64] って本があるね。虹色のめちゃくちゃ派手な表紙で、「これはベストセラーにならないのでは」という本（笑）。

夏樹　第一、ベストセラーの作り方を知ってたら人に教えずに自分で書くよ（笑）。

＊63　『小説講座　売れる作家の全技術』（角川書店、二〇一二）。

＊64　一九九六年刊行の朝日文庫版をさす。単行本は一九八三年に講談社より刊行。

V
翻訳書のたのしみ

SF 2

村上春樹作品の科学的誤り

春菜　「SFと文学の境界が曖昧になる」という話の続きで言うと、村上春樹[*1]ってデビュー当時、ヴォネガットから影響を受けたと話してたよね。

夏樹　それはジャンルというより文体の問題。ヴォネガットそのまんまみたいな文体だったからね。ヴォネガットがよく「そんなもんだ」って書くでしょ。"So it goes"。村上春樹だとそれが「やれやれ」となる。

春菜　そういう合いの手の入れ方が翻訳物ぽかった。

夏樹　うん。ぼくが村上春樹で一番面白く読んだのは『世界の終りとハードボイルド・ワンダーランド』[*2]。彼の作品はある時期までかなり熱心に読んだ。だけど、だんだん気持ちが離れてしまった。

春菜　一般的にはその後の『ノルウェイの森』[*3]からベストセラー作家になっていくよね。

夏樹　そう。でもぼくはその頃にはもうちょっと冷めていた。

春菜　それは何か理由があるの？

＊1　一九四九年生まれ。一九七九年『風の歌を聴け』でデビュー。著書に『羊をめぐる冒険』『ノルウェイの森』『1Q84』など。

＊2　静謐な幻想劇「世界の終り」と冒険活劇「ハードボイルド・ワンダーランド」、二つの物語が交互に語られる長篇小説。一九八五年刊。

＊3　一九六〇年代を舞台に、精神を病む女性との恋愛を描いたベストセラー。一九八七年刊。

夏樹　あの文体は飽きるんだよ。作品中に科学的な嘘を見つけたこともあったな。
春菜　どの作品で？
夏樹　『ねじまき鳥クロニクル』[*4]。あの中に、満州の真ん中で井戸の底に落ちた男の話が出て来る。井戸に落ちた男が絶望していると、真上から日が差す。そういう描写がある。「それで少し希望が湧いてきた」と。だけどね、満州で井戸の底に日が差すことはあり得ないんだ。地球の形を考えればわかる。北回帰線から北にある土地で、そんな現象は起こらない。斜めの井戸でもないかぎりね。あの間違い、なぜ誰も注意しなかったんだろう。
春菜　科学的に間違っているのね。
夏樹　この手の話はほかにもあって、たとえばゴールディング[*5]の『蠅の王』[*6]。あの小説の中で、男の子が自分のかけているメガネで火をおこす場面がある。メガネで太陽光を集めて火をおこす。でも凹レンズでそんなことはできないんだよ。さすがにこれは誤りだという指摘があったらしい。そしたら、「あれは近視じゃなくて実は弱視だったから凸レンズなんだ」と言い張ったという（笑）。
春菜　じつはわたしも……日本の某ベストセラー作家のミステリーを読んでいて、「このトリックは物理的に成立しない」と気づいたことがあ

＊4　失踪した妻の謎を追う主人公が、その果てに大きな歴史の闇、悪に暴力と対峙する長篇小説。一九九四～九五年刊。
＊5　一九一一～一九九三年。イギリスの作家。
＊6　無人島に不時着した少年たちが、しだいに暴力と悪に飲み込まれていく悲劇的物語。一九五四年刊。

った。「スキーに死体をのせて斜面を滑らせて隠す」という場面で、スキーが止まると一緒に死体も止まるって描写があるの。でも考えたらわかるけど、そういう場合、慣性の法則で死体は前へ飛び出すでしょ？

夏樹 当然そうだね。ぼくもその話を知って以来、あの作家の本を読まなくなった。もしかするとそれで損しているかもしれないけど。

春菜 わたし、ひょっとして自分が間違っているのかもと思って、物理学者の先生に確認しちゃった。「この現象は成立しますか？」って。そしたら「地球上では無理ですね」と返ってきた。だから、やっぱり成り立たない。そういう根本的な点がダメだと全部が崩れちゃうよね。

夏樹 ……と、まあかようにうるさい人たちです（笑）。もっとも、ぼくは評論家じゃないから全面的に論じる義務はないんだけどね。嫌なら手をのばさなければいい。

春菜 私も評論家じゃないので、知っている方の作品に疑問を感じても、口をつぐむだけ。「ここが弱いな」と思うようなことはあります。「ここを克服しないかぎり、この人はこの先には行けない」と思うことはある。でもわざわざ言いません。もちろん、それだって個人の感想ですが（笑）。

SF翻訳大国・日本

春菜　その点、翻訳物は確実に面白い。訳者が翻訳して日本で出版する時点で、すでに高いハードルをクリアしているわけで、よほどでない限り外れはない。選りすぐりのものが読めている。

夏樹　SFも、ヒューゴー賞やネビュラ賞をとった作品なわけだ。

春菜　そういう審査を経ていない日本の小説を読んで、たまに「ん？」となっちゃうのは、確率的にしょうがない。翻訳小説を読み慣れるって、すさまじくいいものばっかり食べて舌が肥えた状態なんだと思う。もっと言うと、訳者の力量が見事に発揮された翻訳書って原書よりもいいんじゃないかと思うことさえある。

夏樹　黒丸尚[*7]の訳したギブスンみたいに？

春菜　そう！『ニューロマンサー』『カウント・ゼロ』『モナリザ・オーヴァドライヴ』の三部作なんて、あの漢字の遊びがあってこその面白さだもの。ダブルミーニング、トリプルミーニングの自由自在さ。

夏樹　「ウィンターミュート」が「冬寂」になる、とかね。[*8]

春菜　あれを英語で読まなきゃいけない人は損してるとすら思う。それくらい日本語訳が素晴らしい。

夏樹　シェイクスピアと一緒だ。イギリス人は原文でしか読めない。

＊7　一九五一〜一九九三年。翻訳家。ウィリアム・ギブスンやルーディ・ラッカーの名訳で知られる。

＊8　「気をつけろよ、ヤンダーボーイ」／「これがメッセージだ。冬寂（ウィンターミュート）」／と綴りまで言う。／「おまえからかい……」／とケイスは一歩踏み出した」（『ニューロマンサー』W・ギブスン作、黒丸尚訳、早川書房刊）より

春菜　その上新しい本がどんどん出るから次に読むものにも困らない。日本はＳＦ・ファンタジーに関しては翻訳大国です。

夏樹　それくらいたくさん出ているよね。

春菜　やっぱり早川書房と東京創元社というジャンルに特化した出版社があるのが強い。さらに河出や岩波もある。出版社をいくつもまたぐと、新刊情報を追うのは難しいんです。でもＳＦに関しては、とりあえず早川と創元さえ押さえておけば大きな流れはわかる。そこに河出や岩波や国書刊行会や最近では竹書房から出る作品が加わる。それはあとからでも追いかけられる。その点でも、ＳＦファンは恵まれていると思う。これが各出版社がバラバラに出していたらフォローするのが大変だもの。

夏樹　出版事情は大きいね。アメリカやイギリスにもＳＦファンタジージャンル出版社の存在というのはものすごくありがたい。

春菜　専門の出版社はあるけども。

夏樹　kindleでセルフパブリッシングをするような人たちもいて、それも話題だよね。その後に出版社から紙で出し直したりして。それでＳＦ入口が増えるのは良いこと。でも、それはそれとして、ＳＦの名のもとに出る新刊が一望できるのは便利。「ここからここまで全部読めばいい」と思えると安心する。

春菜　日本のＳＦ読者で良かった（笑）。

春菜　まったくです。とはいえ、一方で翻訳の世界は新しい世代が少ないという問題もあって、大変そうでもある。

夏樹　もともとマーケットがそんな大きくないから。

春菜　今、翻訳専業で食べていくのはちょっと厳しいかも。兼業じゃないとなかなか難しい。

夏樹　今は翻訳物って低調でしょ？　ぼくが『世界文学全集』という器を作っても、せいぜい一万部という世界だもの。

春菜　最近だと『カササギ殺人事件』[*9]はものすごく売れたけど。でもあれだって売れるとわかって出したわけじゃなくて、たまたま火がついたからだし。翻訳本って高い。文庫で千五百円ぐらいするのが普通。『ゴーストライター』[*10]が六百頁近い厚さで千四百八十円。これが昔の本になると、『星を継ぐもの』[*11]は奥付が二〇〇四年で六百六十円。

夏樹　今は文庫でも高いよね。値段をよく見ずにレジに持って行って、支払いの時に「え？」と思うことがある。

春菜　高くたって面白いものが多いし、まあいいんだけどね。

夏樹　『モービー・ディック・イン・ピクチャーズ』[*12]という本、知ってる？　『白鯨』を各ページごとに文章を一部抜き出して、残りをイラストで埋める、それを全ページでやった大作でね。翻訳は柴田元幸。ページによって文章の量はまちまち。けっこう長めのときもあれば一行のと

＊9　アンソニー・ホロヴィッツ作。入れ子構造の物語とたくみな謎解きで話題を呼んだA・クリスティへのオマージュ・ミステリー。二〇一六年刊。翻訳は二〇一八年刊。

＊10　ニューヨークの劇場を舞台にした長篇ミステリー。二〇一三年刊。翻訳は二〇一九年刊。

＊11　J・P・ホーガン作。SFの視点から人類進化の謎に迫る長篇小説。一九七七年刊。

＊12　二〇一五年にスイッチパブリッシングより刊行。

きもある。これも事前に『モービー・ディック』が頭に入っていると、「あの場面の絵だな」とすぐにわかる。たいへん楽しい本なんだ。

春菜　一種の画集みたいな感じ？

夏樹　うん。これが高い本だろうと思ったら安いの。税込二千三百十円。これはお得だよ。

春菜　五百九十二頁で！

夏樹　しかも全部カラー。普通に考えたらこの値段では作れないはずだけど、船がらみの企画だから、某財団からお金が出たらしい。そういうやり方もあるんだね。この本で柴田氏に火がついて、『モービー・ディック』を全部訳すと言い出したらしい。

旧訳・新訳問題

春菜　「翻訳物は売れない」と言われるけど、『カササギ殺人事件』は二十五万部売れたんだって。

夏樹　翻訳物としてはかなりの売れ方だね。他に売れた翻訳文学といえば『ハリー・ポッター』があるけど。

春菜　あのシリーズの売れ方はケタ違いだから。でも『ハリー・ポッター』って翻訳が良くない。

夏樹　良くないね。

春菜　それがちょっとね……。良い翻訳で育っちゃうと、訳文にも口が肥えちゃいますね。

夏樹　悪い訳で一度出てしまうと、次が出ないから。それがつらい。

春菜　新訳になっているものもあるよ。たとえばハインラインの『夏への扉』[*13]は新訳が出た。この作品が珍しいのは、旧訳も品切にせずそのまま出していること。新訳と旧訳と両方が出ているという状態なの。旧版は福島正実訳で新しいのは小尾芙佐さん訳。これがどちらも素晴らしい。

夏樹　定評のある作品の新訳を出すのは大変。でも河出の『世界文学全集』ではそれが突破できた。具体的には、たとえば『存在の耐えられない軽さ』[*14]がそう。この小説は言うまでもなく名作だけど、とにかく前の翻訳は良くなかった。それについてぼくはかつて相当強烈な批判を書いたけど、小説自体はとても好きでね。だから『世界文学全集』には新訳で入れた。他にもそういう作品がある。だからあの全集はずいぶん新訳が多いんだ。

春菜　逆に言うと、それだけ新訳を出すべき本があるという話ね。

夏樹　そう。翻訳自体のよしあしもあるけど、そもそも時とともに日本語が変わっていくわけで、その意味でも新訳は必要だよ。『オン・ザ・ロード』[*15]だってそう。もとは『路上』の書名で出ていたんだけど、青山

＊13　ロバート・A・ハインライン作。時間旅行テーマの古典的名作として日本でも人気が高い。一九五六年刊。

＊14　ミラン・クンデラ作。一九六八年、チェコスロバキアで起きた「プラハの春」に翻弄される三人の男女を描く哲学的恋愛小説。一九八四年刊。

＊15　ジャック・ケルアック作。青年サルと相棒ディーンの放浪の旅を破格な文体で描く文学作品。「ビートニクのバイブル」と呼ばれる。一九五七年刊。

南が『オン・ザ・ロード』として新訳した。

春菜　ジョージ・R・R・マーティンの『氷と炎の歌』[*16]は、途中で訳者が変わったタイミングで、かなり手直ししたの。そのせいで前の翻訳を読んでいた読者から反発を食らったけど、以前の訳はそもそも登場人物の名前の読みが間違っていたりした。だからそれは必要な手直しだった。

夏樹　旧訳当時、日本では馴染みがなかった固有名詞をうまく訳せなかったケースもある。かつては「クリネックスって何だろう」の時代もあったからね。ぼくの話でいうと、そういう場合シアーズ・ローバック[*17]という通信販売のカタログがとても役に立った。

春菜　シアーズ、あったね。

夏樹　あのカタログには具体的なものの名前と絵がたくさんあったから、翻訳で困った時にすごく助かった。読み込んだよ。

春菜　原書を読んでも、固有名詞なのか商品名なのか、それとも造語なのか、わからない言葉ってあるよね。以前英語の本を読んでいたら、なぜかドイツ語で「ムッティ」と「トッティ」、つまり「パパとママ」がドイツ語で書いてあったの。はじめて読んだ時、それが名前なのか、それとも作品世界だけの用語なのか、何を指しているのかわからなくて。あれこれ調べていくうちに、それがドイツ語だってようやくわかったってことがあった。

＊16　一九九六年にはじまり、現在も続く大河ファンタジー・シリーズ。人気ドラマ「ゲーム・オブ・スローンズ」の原作としても有名。

＊17　カタログによる通信販売で知られたアメリカの大手小売企業。二〇一八年に経営破綻した。

夏樹　今はネットがあるから調べるのも楽になったよ。昔は、アメリカ版の「プレイボーイ」に入った広告で、「あれはこういうものか」って知るなんてことがよくあった。たとえば、男性用の化粧品を入れたポーチがある。髭剃りやクリームが入っているポーチ。商品名がドップキットというんだけど、それが具体的にどんなものなのか、「プレイボーイ」のおかげでわかった。よく出会えたと思ったよ（笑）。

春菜　それはどう訳したの？「身だしなみ道具」？

夏樹　いや、「化粧品キット」と訳した。そこに「男性用の」という説明をちょっと足したかな。

春菜　ＳＦの場合はその上に造語や一般名詞じゃない言葉が入ってくるよね。

夏樹　そう。ＢＥＭって言葉があるよね。Big Eye Monster、つまり宇宙の怪物のこと。ある本を読んでいたら扉の断り書きに、「この中に出てくるＢＥＭはすべて架空です」とあった（笑）。

春菜　（笑）。あとThing。「モノ」っていう意味だけど……。

夏樹　Thingは『アダムス・ファミリー』[*18]では、うまい訳が見つからなかったのか、しかたなく「ロミオ」と訳してあった。

春菜　ロミオって（笑）。

夏樹　あの手だけの怪物がねえ。

＊18　「ザ・ニューヨーカー」原作のコミックを一九六四年から六六年にかけて放映したアメリカのＴＶドラマ。アニメ版、映画版もある。

春菜　ともあれ、先人のたゆまぬ努力とチャレンジのおかげで、世界中の素晴らしい文学をわたしたちは日本語で享受できているわけです（笑）。

春菜、翻訳家デビュー？

夏樹　ＳＦの訳者は若い世代が少ない、というさっきの話だけど。

春菜　大森望[*19]さんたちの下の世代がなかなか育たない。それは十年ぐらい前から言われているね。

夏樹　それならさ、自分で翻訳をやってみれば？

春菜　……じつはやってみようと思っているんです。そのために、あまり知られていないけど面白そうな本を原書で買ってある。翻訳権のこととか、くわしい事情がわからないので、まずは楽しそうなものを読みがてら、合間を見て訳してみようかと思って。このあいだメルボルンでちょっと面白そうな本を見つけたの。七ドルショップに置いてあった本。そういうお店にあるような本は、日本で翻訳は出ていないよね。

夏樹　たぶんね。そうやってカンを働かせて見つけた本が翻訳されて話題になると、ちょっと得意になるね。以前カナダに行った時に、空港で買った本を飛行機の中で読んだら、これがとても良い。帰国してさっそく新潮社の編集者に「ためしに読んでみて」と伝えたら、すぐに「これ

＊19　一九六一年生まれ。翻訳家、書評家、アンソロジスト。『21世紀ＳＦ１０００』『読むのが怖い！』などの著書、共著も多数ある。

はいいから出します」って。

春菜　何て作家だったの？

夏樹　アステリア・マクラウド。[20] 自分で訳すまではしなかった。原書を見つけてきただけ。そのあと新潮社では、彼の本が三冊出たよ。

春菜　仕掛け人なわけね。

夏樹　あれはわれながらお手柄だった。もう一つ、海外で見つけて「すごい」と思った本があって、やっぱり新潮社の知人に勧めたら、「来週発売です」と返された。ジュンパ・ラヒリ[21]の『停電の夜に[22]』。こちらはちょっと遅かった（笑）。

春菜　評判になったよね。

夏樹　以前は飛行機に乗る前に必ず読物を手配していたから、時々掘り出し物があったんだ。「売れているらしい」というので手に取る本もあったけど、全然知らずに買ってみることも多かった。あとはジャケ買い（笑）。さっき日本は翻訳大国と言ったけど、それでも案外見落としがあるものなんだ。逆にエージェントが一生懸命売り込むから読んでみたけど今ひとつ、というケースもよくある。

春菜　（おもむろに本を取り出し）わたしがジャケ買いしたのはこれです（笑）。今話したメルボルンで買った本。

夏樹　"Last Things[23]"。

＊**20**　一九三六年生まれ。新潮社から出た三冊とは『灰色の輝ける贈り物』『冬の犬』『彼方なる歌に耳を澄ませよ』をさす。

＊**21**　一九六七年生まれ。インド系アメリカ人作家。現在はローマ在住でイタリア語での作品も発表している。著書に『その名にちなんで』など。

＊**22**　アメリカやインドを舞台にした短篇をおさめたラヒリのデビュー作。一九九九年刊。翻訳は二〇〇〇年刊。

＊**23**　Jenny Offill『Last Things』、二〇一五年刊。

春菜　ファンタジックなお話でちょっと面白いの。
夏樹　手軽でいいじゃない。長過ぎないし。
春菜　短いからサクサク読める。
夏樹　翻訳、ぜひためしてみるといいよ。

フレデリック・ブラウンと「奇妙な味」

夏樹　そういえば、『火星年代記』[*24]については？　ＳＦオールタイムベストみたいな企画には必ず登場するくらい有名だけど。
春菜　レイ・ブラッドベリ[*25]ね。
夏樹　うん。ブラッドベリの小説は「抒情的なＳＦ」という不思議なジャンルだよね。
春菜　唯一無二かも。湿っぽいのにカラッとしている。真似しようとしてもできない。ブラッドベリは日本で人気があるけど、それも納得。日本人ってそもそもリリカルでウェットなものが好きなんだと思う。だからケン・リュウ[*26]が受ける。あとラヴィ・ティドハー[*27]やマイクル・コーニイ[*28]、『たんぽぽ娘』[*29]も。
夏樹　なるほど。
春菜　ちょっとほろりとさせて、胸がキュンとする。そういう物語が好

＊24　火星を舞台にした連作短篇集。一九五〇年刊。
＊25　一九二〇～二〇一二年。『火星年代記』『華氏４５１度』『たんぽぽのお酒』など、叙情的、幻想的な小説を数多くのこした。
＊26　一九七六年生まれ。著書に『紙の動物園』など。
＊27　一九七六年生まれ。著書に『完璧な夏の日』など。
＊28　一九三二～二〇〇五年。著書に『ハローサマー、グッドバイ』など。
＊29　ロバート・Ｆ・ヤング作。ロマンティックな時間旅行ＳＦ。

きなんだと思う。ＳＦにはブラッドベリの系譜があるね。リリカルで一風変わった作風の系譜。

夏樹　一風変わったＳＦでいえば、都筑道夫[30]も真似したフレドリック・ブラウン[31]もコミカルな小噺みたいな作風で、ぼくは好きだった。

春菜　ブラウンは翻訳がけっこう出たよね。つい最近も短篇全集が東京創元社から出たし、根強い人気がある。

夏樹　早川書房の「異色作家短篇集[32]」にも入っていたね。これはいわゆる「奇妙な味」というタイプの小説を集めたシリーズでね。「奇妙な味」ってフレーズを考えたのはだれか知ってる？

春菜　だれだっけ？

夏樹　江戸川乱歩[33]。乱歩が言い出したミステリーのジャンルなんだ。

春菜　ちょっと怖くて、ちょっと不気味で、ちょっと後味が悪い。そういう小説ね。

夏樹　うん。「奇妙な味」小説にも根強い人気がある。「異色作家短篇集」でぼくが覚えているのは、シャーリイ・ジャクスンの「くじ[34]」。

春菜　人が悪いお話なのよね。「異色作家短篇集」といえばなんといってもわたしは『特別料理[35]』に出てくる「アミルスタンの羊」ね。東京創元社の「世界推理短編傑作集」という同じようなシリーズもあって、そこに入っていた「二壜のソース[36]」も面白かった。……って食べ物の話ば

＊30　一九二九～二〇〇三年。ＳＦから時代物まで数多くのジャンルを手がけた。著書に『三重露出』『退職刑事』など多数。
＊31　一九〇六～一九七二年。奇抜なアイデアと軽妙な語り口で親しまれた。著書に『発狂した宇宙』『火星人ゴーホーム』など。
＊32　一九六〇年代に刊行された翻訳短篇小説叢書。二〇〇五年から新装版も刊行された。
＊33　一八九四～一九六五年。実作以外でも数多くの作家を世に送り、日本の推理小説発展に大きく寄与した巨星。
＊34　くじがもたらす残酷な結末で知られる短篇小説。一九四八年発表。
＊35　スタンリイ・エリン作。一九四八年発表。
＊36　ロード・ダンセイニ作。創元推理文庫「世界短編傑作集」四巻に収録。

っかり（笑）。

夏樹　「特別料理」は、「優しく彼の手をそっと肩にかけた」というのがラストなんだけど、これが怖い。

春菜　「とうとうあなたもアミルスタンの羊を食べる番が来ましたね」。

夏樹　本当においしいと評判のレストランがあってそこにときどき羊が入る、というところから話が始まって……。

春菜　その羊の料理が出ると、前後して常連が一人来なくなる。『二壜のソース』もそういうお話。冒頭である女性が失踪する。どうやら殺人事件らしい。それなのに死体が出てこない。ただ、同じ家にいた男がなぜか毎日せっせと薪割りをする。男のもとには、どんなものもおいしくするというソースが宅配で届けられるようになる。その後も、男はせっせと庭で薪割りを続ける。届いたソースはどんどん減っていくようすで、一方、失踪した女性の死体は出てこない……という。

SFとAI

春菜　アン・マキャフリイ[*37]は？　あまり好きじゃないかな。

夏樹　そんなことはない。面白く読んだよ。ただ、あまりにフェミニズムのトーンが前面に出ているところは気になったけど。

＊37　一九二六～二〇一二年。六〇年代後半からの「パーンの竜騎士」シリーズで人気を得る。著書に『歌う船』、「九星系連盟」シリーズなど。

春菜　たしかにそうだね。

夏樹　『歌う船』[*38]は、船が女であるという設定がユニークだった。宇宙船の心が女性で、恋もする。でも船だから、それ以上のことはできない。

春菜　『歌う船』はシリーズになっていて、マキャフリイのあと、別の作家たちが書き継いでるの。『歌う船』の続編的な作品もあれば、違う船が主人公の作品もある。それと別に、『戦う都市』[*39]という作品もあって、そちらは船じゃなくて都市自体が脳になる。シメオンという名前で、そっちは男性。都市の脳の管理者になった男性と、若い女の子とがパートナーを組み、都市の転覆を企む陰謀を防ぐというストーリー。

夏樹　それは知らなかった。

春菜　わたしがおすすめなのは『魔法の船』[*40]。アイデアが面白い。主人公たちがとある未開の惑星に着くと、そこの住民は全員が魔法を使っていた、というのが物語の発端。調べていくと、どうもそれは魔法ではなくちゃんとした科学らしい。「十分に発達した科学技術は魔法と区別がつかない」(アーサー・C・クラーク)。ではなぜ魔法と間違えるほど進んだそんな科学が人間たちに使えたのかというと、要は先住民の遺産を悪用していたの。先住民族が残した「レイ・ライン」という力の帯、それは磁力線やWi-Fiのようなものなんだけど、それのおかげだった。ところが彼らはレイ・ラインが先住民の遺産だと知らない。知らずにどんどん

＊38　サイボーグ宇宙船となった少女と相棒の男性乗組員の冒険物語。一九六九年発表。

＊39　「歌う船」シリーズ三作目。S・M・スターリングとの共作。一九九三年発表。

＊40　「歌う船」シリーズ五作目。ジョディ・リン・ナイとの共作。一九九四年発表。

使ってしまったせいで、じつは星の力は枯渇している。それに気づいた主人公たちが、「これを作った先住民がいるはずだ」と考えて、彼らの居場所を探索し始める。そうして探すうちにハッと気がつくの。「あのカエル……?」って(笑)。

夏樹 カエル?

春菜 大きな玉の中に入ってコロコロそれを押しながら登場する玉蛙という蛙がいて、みんなから邪魔者扱いされているんだけど、じつはその蛙が先住民族だったわけ。星の力が枯渇するのを見て、力を振り絞って人間たちに「それを使っちゃダメ」と伝えに行ったのに、理解されずにいじめられていたというオチ。

夏樹 切ないね。

春菜 ね(笑)。ともかく、『歌う船』でこれだけ応用編が作れるってことは、最初のアイデアがずば抜けてたってことよね。

夏樹 そうだね。船という違う身体を持っている設定が何よりよかった。

春菜 「トランスヒューマン」が昨今話題になっているけど、このシリーズはまさに「どこまでが人なのか」という問題を先取りしていると思う。「テセウスの船問題」って知ってる?

夏樹 いや、どんな話?

春菜 古い船がある。その船の部品を一つずつ取り換えていく。一つずつ新しくする。そうなると、どこまでがその船だといえるのか？　さらに、古い船から取り出した古い部品でもう一艘船を作るとする。その場合、どちらがテセウスの船なのか？

夏樹　なるほど。

春菜　人間も同じで、身体のパーツを一つずつ人工物に置き換えたり、機能拡張していったら、「どこまでがヒトで、どこからヒトではない」ということになるのか？

夏樹　それはトマス・ピンチョン[*41]の『V.』[*42]のテーマだ。

春菜　『歌う船』では、その疑問に「体は問題ではない。脳が問題だ」と答えている。

「魂とSF」というテーマ

春菜　『歌う船』もそうだけど、「魂とSF」はこのジャンルの大きなテーマの一つだね。

夏樹　ほかに何が思いつく？

春菜　コニー・ウィリスの『航路』[*43]はそういう小説だよ。主人公は臨死体験者の聴き取りをしている女性心理学者。でも臨死体験者なんてそういないから、研究するのはとても大変。病院で「この人は死んでか

＊41　一九三七年生まれ。現代アメリカ文学を代表する作家の一人だが、素顔も経歴も非公表。著書に『V.』『競売ナンバー49の叫び』『重力の虹』など。

＊42　現代のアメリカで生きる男の物語と、「V.の女」の謎をめぐる物語が交錯するピンチョンの処女長篇。一九六三年刊。

＊43　臨死体験と死後の世界を描くサスペンスSF大作。二〇〇一年発表。

ら蘇るかも」ってそばに張りついているわけにもいかないしね（笑）。そんな時、ある神経内科医が人為的に臨死体験を発生させる装置を作る。彼女はその被験者として自分でも臨死体験をする。そして、その後もジテタミンという薬を投与されては疑似臨死体験を繰り返す。ところが、しだいに彼女のまわりでおかしなことが起こり始める。それにつれて、彼女の精神も不安定になっていく。自分がいるのはどこなのか、自分は本当は臨死体験ではなくタイムスリップをしているんじゃないか。さまざまな疑念にとらわれて、だんだん現実と想像の境界が曖昧になっていき……というお話。ＳＦ的に死後の世界を解き明かそうとした小説で、ものすごく面白い。

夏樹　それは読まないとな。『歌う船』の「パーツの問題」と重なるところで言えば、ルーツにさかのぼると『フランケンシュタイン』[*44]があるね。人造人間小説のルーツ。

春菜　メアリー・シェリー[*45]。

夏樹　よく間違える人がいるけど、フランケンシュタインって怪物の名前じゃなくて博士の名前なんです。

春菜　怪物に名前はついてないんだよね。作中では「怪物」としか呼ばれない。

夏樹　同じような人造人間テーマの小説にリラダンの『未来のイヴ』[*46]が

＊**44**　科学者が生み出した人造人間の悲劇を描く。一八一八年発表。

＊**45**　一七九七〜一八五一年。『フランケンシュタイン』のほかに未来小説『最後のひとり』もある。ロマン派の詩人シェリーの妻。

＊**46**　ヴィリエ・ド・リラダン作。はじめて「アンドロイド」の語が登場することでも知られる古典的ＳＦ小説。一八八六年発表。

ある。

春菜 ただ、『未来のイヴ』は物語というより著者の思想を書いている本だから。ロボット物というよりも……。

夏樹 思想を語るためのあやつり人形みたいな感じ？

春菜 そう。それならカレル・チャペックの『R.U.R.』[*47]のほうがずっと面白い。「ロボット」という言葉が最初に使われたのは『R.U.R.』だよね。労働力として作られたロボットが、人間に反乱を起こす展開も典型的だし。

夏樹 ロボットと言えば、ディックの話の中で出た『ブレードランナー』もそうだね。

春菜 レプリカントね。ロボットからAI、人工知能はSFの一つのテーマだから、あちこちで出てくる。「魂とSF」テーマのバリエーションね。

夏樹 ぼくは『科学する心』[*48]という本で、それについて書いた。ロボットや人工知能が、人間に反抗して自分たちの覇権を打ち立てるなんて設定はナンセンスだという話。なぜなら、彼らには欲望がないから。なぜ欲望がないのかといえば、自意識がないから。自分という意識がない。だから価値判断ができない。価値判断というのは欲望なんです。自分にとって良いものを良いとするのが価値判断。でも彼らにできるのは「み

*47 人造人間の反乱を描いた一九二〇年発表の戯曲。はじめて「ロボット」の語が使われた作品としても知られる。

*48 集英社インターナショナルより二〇一九年刊。

んなが良いと言っている」という人間の判断をなぞることだけ。そのわけは彼らには命がないから。彼らには自己保存本能も生存欲もない。それをプログラムに組み込むことはできるけど、それはそれだけのものでしかない。命がないから自己保存本能ではない。それゆえ子孫繁栄の思想もない。早い話がプラグを引っこ抜けばいいだけなんだ。

春菜 その点をうまく描いたのが、ホーガンの「造物主（ライフメーカー）」シリーズ[*49]だったと思う。

夏樹 ああ、そうか。今度そういう視点で読んでみよう。

春菜 人間の「自分の遺伝子を残したい」という欲望は、機械においては何になるのか？ わたしはそれがオーダーだと思う。つまり命令。ロボットに「この山の中からネジを探してくることがあなたの役割です」という命令を植えつける。それをそれぞれのロボットが徹底して突き詰めた結果、最終的に彼らは「自分自身を増やしたい、自己保存したい」という人の本能と同じ場所へたどり着く。スタートは逆なのに。そういう逆説が描かれているのが「ライフメーカー」シリーズ。さすがホーガン、意地悪な書き方をしていていいなと思った。

夏樹 でもそれは、オーダーじゃなくてタスクじゃない？

春菜 オーダーはタスクよりもう一つ上の段階じゃないかな。オーダーの下にタスクがある。つまりタスクをいくつも重ねていった結果がオー

＊49 機械人間と彼らの造物主である異星人が登場する本格SF。『造物主の掟』（一九八三）と続編『造物主の選択』（一九九五）をさす。

ダーになるんだよ。

夏樹　なるほど、それならわかる。

春菜　ロボット三原則みたいに「原則を厳しく守る」という問題を物語として緻密に展開した結果、「人間がいなければ原則が一番よく守れる」という結論までたどり着いちゃうわけで、それはやっぱりオーダーじゃないかな。

夏樹　『2001年宇宙の旅』のHALと同じ。

いつでも、どこでも読む

春菜　こうして見ると、SFって小ジャンルがたくさんあるから、これからいろいろ読みたいという人には、良いブックガイドが必要かも。

夏樹　現にSFのガイドブックはたくさんあるね。その中でもちょっと毛色が変っていて面白いのが『サンリオSF文庫総解説』[*50]。これは良い本だね。

春菜　うん。この本が出るまで、サンリオの目録を見ても全貌がわからなかったから、その意味でもありがたい本なの。

夏樹　付箋と鉛筆を用意して、トイレに置いとくといいね。少しずつつまみ読みするのにもってこい。

*50　牧眞司・大森望編。サンリオSF文庫全百九十七冊を詳細なデータ付きで紹介している。本の雑誌社より二〇一四年刊。

春菜　私のには付箋がたくさん付いてます。でも見返すとなぜここに付箋が付けてあるのか、自分でもわからない（笑）。持ってないけど読みたいと思った本、だったかな……。

夏樹　まあそういうものだよ。ところでトイレで本を読むタイプの人、いるね。トイレに本棚のある人。加藤周一[*51]がそうだった。

春菜　わたしは違うな。なぜかというといつでも持ち歩いて読んでいるから。お風呂の中でも読むし、歩きながらも読む。常に本を持って移動している。だからトイレに本棚は必要ない（笑）。

夏樹　風呂の中でどうやって読むわけ？

春菜　蓋を首もとまで持ってきて、そこに本を乗せて読みます。

夏樹　本はふやけないの？

春菜　大丈夫。濡れないように蓋をキッチリしめるから。でもお風呂はいいの。のぼせちゃうから読み過ぎないですむ。お湯が冷めてきたら出ようと思うし。

夏樹　追い炊きしたりして（笑）。

春菜　それだとのぼせちゃうね（笑）。

夏樹　今、うちのトイレの棚には松山巖の『本を読む。[*52]』という分厚い本を置いてある。これがちびちび読むのにちょうどいい。でも一方でいい書評集は危ないんだ。紹介されている本を次々買いたくなるから（笑）。

＊**51**　一九一九〜二〇〇八年。評論家。大学在学中、福永武彦らと「マチネ・ポエティク」を結成。以後、博覧強記の知識人として文学・歴史・社会などの分野で膨大な著作をのこす。平凡社『世界大百科事典』編集長もつとめた。

＊**52**　西田書店より二〇一八年刊。

Ⅵ
謎解きはいかが？

ミステリー

古典ミステリー談義

夏樹 さて、今度はミステリーの話をしようよ。

春菜 はい。最初に読んだ本格ミステリーって何だった？

夏樹 ぼくはエラリー・クイーン。[*1] それからS・S・ヴァン・ダイン。[*2]『The Dragon Murder Case』[*3]は母親の棚に並んでいた。

春菜 ヴァン・ダインといえばミステリーの基本ルールの一つを作った人よね。「ヴァン・ダインの二十則」[*4]。

夏樹 そうだね。

春菜 「双子はあらかじめ読者に知らせなければいけない」とか、「中国人を出してはいけない」とか……あ、これは「ノックスの十戒」[*5]か（笑）。

夏樹 エラリー・クイーンは『X』『Y』『Z』、それから、『Drury Lane最後の事件』[*6]と読み進んでいった。

春菜 ホームズやルパンは？

夏樹 それはクイーンを読む前に読破していた。

春菜 そうだよね。読む順番としては普通そうなるよね。

＊**1** F・ダネイ（一九〇五～一九八二）とM・B・リー（一九〇五～一九七一）二人のコンビによるペンネーム。著書に『Xの悲劇』『ローマ帽子の謎』など。

＊**2** 一八八八～一九三九年。探偵ファイロ・ヴァンス物で知られる。著書に『グリーン家殺人事件』『僧正殺人事件』など。

＊**3** 『ドラゴン殺人事件』。一九三三年発表。

＊**4** 「謎を解く手がかりは作中に記述されていること」など、ヴァン・ダインが推理小説を執筆する上で定めた規則のこと。

＊**5** 「中国人は登場させない」など、作家R・ノックスが定めた推理小説執筆上の規則のこと。

＊**6** 『Xの悲劇』（一九三二）、『Yの悲劇』（同）、『Zの悲劇』（一九三三）、『レーン最後の事件』（同）の悲劇四部作。

夏樹　ついでに江戸川乱歩も読んだけど、これはあまり面白くなかった。

春菜　少年探偵団シリーズ？

夏樹　そう。トリックに無理があるんだ。はっきり言って子ども騙し。だけど、あれじゃ子どもだって騙せないよ。犯人を追って行くとパッとそいつの姿が消えてしまう場面があって、どうしたのかというと「郵便ポストに化けていた」というんだから。

春菜　（笑）。

夏樹　読んだあと郵便ポストをしみじみ見たけど、あの幅に入る人間はいない（笑）。

春菜　今となっては、少年探偵団シリーズは子どもじゃなくて大人が読むものだね。大人が懐古趣味で読むと楽しい。そういうものだと思う。じゃあアガサ・クリスティ[*7]は？

夏樹　もちろん読んだよ。今読んでも面白いしうまい。よくあれだけさまざまなバリエーションを作ったと思う。

春菜　わたしも好きだな。

夏樹　クリスティについて今でもよく議論されるのは、『アクロイド殺し』[*8]はフェアか否かという話だよね。

春菜　それについてのご意見は？

夏樹　これは作者と読者の間のお約束の問題だ。作者はどんなトリック

＊7　一八九〇～一九七六年。名探偵ポワロの生みの親。いまなお世界中で根強い人気を誇る。著書に『アクロイド殺し』『そして誰もいなくなった』など。

＊8　作中の叙述トリックが論争を巻き起こした名作。一九二六年発表。

を使ってもいいが、しかしそれには限界がある。で、『アクロイド殺し』はノックスの十戒の第七「変装して登場人物を騙す場合を除き、探偵自身が犯人であってはならない」に違反してはいないか。この作品の発表が一九二六年、半分は冗談だと本人が言うノックスの十戒は一九二八年。この順序が面白いんだ。

春菜　『アクロイド』の方が先なんだ。クリスティといえば、セント・メアリ・ミードのジェーン・マープルおばさんが出てくる『ミス・マープルと13の謎』[*9]の新訳が出たけど、読むとやっぱり面白い。

夏樹　クリスティ作品のキャラクターだとミス・マープルとポワロが有名だけど、トミー&タペンスって若い夫婦もいる。これもいいよ。

春菜　『おしどり探偵』[*10]ね。いいよね。わたしは昔読んだミステリーで一番印象に残ったのはG・K・チェスタトン[*11]。パパの書庫からもらった本を今も持ってます。わたし、チェスタトンが好きなの。

夏樹　彼の小説は哲学的だね。

春菜　一番好きなのは『ポンド氏の逆説』[*12]。ブラウン神父物も良いけど、『ポンド氏』もとっても面白い。

夏樹　（本を手に取って）今出ている文庫の訳者は南條竹則[*13]か。なるほど、という感じだ（笑）。

春菜　ホームズはどう？

＊**9**　創元推理文庫より二〇一九年刊。原著は一九三二年発表。
＊**10**　トミー&タペンスシリーズの短篇集。一九二九年刊。
＊**11**　一八七四〜一九三六年。ブラウン神父物のほか、鋭利な文明批評家としても知られる。著書に『ブラウン神父の無心』『木曜の男』など。
＊**12**　不思議な事件を逆説で解き明かすポンド氏の活躍を描く短篇集。一九三七年発表。
＊**13**　一九五八年生まれ。作家、翻訳家。著書に『酒仙』『魔法探偵』など。
＊**14**　コナン・ドイル作。ホームズ物短篇の一つ。一八九一年発表。

夏樹　じつはこの間、「赤毛クラブ」[*14]のことを考えていたんだ。この小説では、ある人間を定期的に家から外へ出しておくためのトリックが描かれていて、よくできている。最近映画やテレビで見直す機会があるせいか、ホームズを思い出す機会が増えたね。

春菜　初めて読んだホームズ物は？　相当昔から翻訳されてたよね。

夏樹　「少年少女世界文学全集」に収録されていた「まだらのひも」[*15]と「六つのナポレオン」[*16]。それで出会った。あの全集にはガストン・ルルーの『黄色の部屋』[*17]も入っていて、それも読んだな。あと、くわしい内容は忘れたけど『月長石』[*18]も。あの長大な小説ね。

春菜　翻訳ミステリー、特に古典は、SFと同じく東京創元社と早川書房の本で読むことが、わたしは多かったかな。

日本ミステリー講義

春菜　わたし、SFやファンタジーは海外派だけど、ミステリーは日本のも好きなの。『黒死館殺人事件』[*19]、それと中井英夫[*20]！

夏樹　『虚無への供物』[*21]ね。

春菜　それから笠井潔[*22]の「矢吹駆」シリーズ[*23]。パパ、あのシリーズの解説を書いてたよね。

＊15　ホームズ物短篇の一つ。一八九二年発表。
＊16　ホームズ物短篇の一つ。一九〇四年発表。
＊17　密室物の嚆矢とされる名作。一九〇八年刊。
＊18　ウィルキー・コリンズ作。盗まれた宝石をめぐって展開する古典的名作。一八六八年刊。
＊19　小栗虫太郎作。名探偵法水麟太郎が活躍する長篇探偵小説。一九三五年刊。
＊20　一九二二〜一九九三年。華麗な文体による幻想小説、推理小説で知られる。著書に『虚無への供物』『幻想博物館』など。
＊21　ペダントリーと幻想性に満ちた著者の代表作。一九六四年刊。
＊22　一九四八年生まれ。ミステリー、SF作家、文芸評論家。著書に「矢吹駆」シリーズや『探偵小説論』など。
＊23　探偵・矢吹駆が哲学的思考で謎を解くユニークなシリーズ。単行本が八冊刊行されている。

夏樹　うん、書いた。笠井のことは昔から知っていてね。というのも、笠井の兄貴が高校時代からの友だちだったんだ。中央公論の編集者で笠井雅洋という男。だいぶ前に死んでしまったけど。

春菜　そんな縁が。矢吹駆シリーズは『哲学者の密室』[*24]や『薔薇の女』[*25]、何冊か読みました。

夏樹　あのシリーズはいい。背景にフランス中世史を使ったりして、トリックも凝っている。

春菜　ミステリーになると日本物も楽しく読める。なぜかというと、作品と自分との間に距離があるから。だからベタベタした人間ドラマが展開するミステリーは苦手なの。それはミステリーより先に人間を書きたい小説でしょう。そうじゃなくてトリックや設定を作りこんだミステリーは、舞台を見ている気持ちで読める。そこに翻訳物を読むのと同じ距離感が生まれるから、スムーズに受け入れられる。これが現代を舞台にした等身大の恋愛物語だと「ワッ、無理無理」となる（笑）。「ちょっと、その話聞きたくない」みたいな。でも昔の物語だったら、「大変だったのね」と思いながら読める。距離感って大事です（笑）。

夏樹　日本のミステリーでぼくが一番読んだ作家は、結城昌治[*26]でね。本人とも親しかったんだ。

春菜　そうでした。子どもの頃に結城さんから白いうさぎのキーホルダ

＊24　光文社、一九九二年刊。
＊25　角川書店、一九八三年刊。

＊26　一九二七～一九九六年。一九七〇年『軍旗はためく下に』で直木賞受賞。著書に『白昼堂々』『ゴメスの名はゴメス』など。

ーをもらったのをおぼえてる。

夏樹　彼は福永にミステリーを教わった人なの。そういう縁があった。二人の出会いはサナトリウム。結城さんはサナトリウムで石田波郷[*27]に俳句を教わり、福永武彦にミステリーを教わったんだ。

春菜　なんと贅沢な……！

夏樹　本人も「すごいよね」と言ってたよ（笑）。世間に復帰したあと、彼は早川書房のミステリーコンテストに『寒中水泳[*28]』という作品を応募して優勝した。

春菜　石田波郷と福永武彦が先生だったのね。

夏樹　その体験でわかる通り、結城さんのバックグラウンドには俳句がある。だから作品がユーモラスなんだ。どこかでクスッと笑わせる。ぼくもユーモアなしでは文体が作れないけど、それは結城さんとジェラルド・ダレル[*29]から学んだことだね。

春菜　ユーモアって、たとえばどういうところ？

夏樹　『長い長い眠り[*30]』。あそこに、とても背の高い男が出てくるけど、結城さんはそれを「馬が立ち上がったぐらい背が高かった」と書くの（笑）。そういう種類のユーモア。

春菜　それ人間じゃないよね（笑）。八尺様[*31]みたい。じゃあ加田伶太郎[*32]は？

夏樹　加田伶太郎はよくも悪くもトリックだけで小説を作っているね。

＊27　一九一三〜一九六九年。俳人。中村草田男らとともに人間探求派と呼ばれた。

＊28　「ＥＱＭＭ」日本版第一回短篇コンテスト入選作。

＊29　一九二五〜一九九五年。ノンフィクション作家。『虫とけものと家族たち』など一連のシリーズで知られる。

＊30　郷原部長刑事が登場するシリーズの一つ。一九六〇年刊。

＊31　インターネット上で流布する都市伝説に登場する異形の大女のこと。

＊32　福永武彦が推理小説を書く時に用いた別名。『完全犯罪』などがある。

もっともあれぐらいが限界だという気もする。趣味だからいいんだが。

春菜　完全にパズルだよね。わたし、ベタベタした人間ドラマよりパズル小説のほうが好きだけど、でもパズルだけになってもダメなの。そこのところのバランスが難しい。

夏樹　ぼくは人間を描くミステリーも好きだよ。その方面の作家でいえば、なんといっても松本清張[*33]。清張の登場は当時とても新鮮だった。どこがそんなに新しかったか。端的に言うと、事件の描き方。事件のための事件ではない描き方ね。あの社会性は目覚ましいものがあった。物語の背後に戦争が影を落としていて、それが作品に謎解きだけではない奥行きを与えていた。

春菜　そういうタイプの小説は社会派ミステリーと言われた。

夏樹　でも清張はその中でも特別。当時は水上勉[*34]も社会派ミステリー作家と呼ばれていたけど、清張のほうがはるかに力がある。

春菜　具体的にはどの作品を評価してる？

夏樹　細部まで覚えているのはやはり『点と線[*35]』だね。東京駅での「三分間」のトリック。あと「男女の死体が並んでいたら人は心中だと考える」という思い込みを利用した仕掛け。作中でアリバイ作りに飛行機を使っているけど、当時は飛行機なんてみんな眼中にないから、だれもトリックに気がつかない。そこから、「青函連絡船で乗客名簿をすり替え

＊33　一九〇九〜一九九二年。社会性あるテーマを多く取り上げ、社会派推理小説の旗手として活躍した。著書に『点と線』『砂の器』など。

＊34　一九一九〜二〇〇四年。一九六一年『雁の寺』で直木賞受賞。著書に『飢餓海峡』『五番町夕霧楼』など。

＊35　時刻表のトリックで有名な代表作の一つ。一九五八年刊。

たんじゃないか」という疑惑にミスリードされていく。

春菜　代表作だよね。そういえば時刻表トリックって今は使えなくなったね。ネットで目的地を調べれば「何分で行けます」って即座に情報が出てきちゃうから。

夏樹　うん。『点と線』は昭和三十年代の時代背景があっての小説だね。それから『球形の荒野』[36]。これも戦争の影に覆われた重厚な作品。清張作品の特徴は必ずしもトリック重視じゃないところで、だからいわゆる推理小説じゃない作品も多い。『顔』[37]では、人を殺して逃げた男が、俳優として芽が出てテレビに出るという話。ミステリーじゃないけど、これも優れた短篇だよ。

春菜　清張作品っていまだに映画やドラマになる。現代に舞台を変えても成立する力がある。多少辻褄を合わせなきゃいけないところはあるけど、根底にある人間の描き方は変わらない。だからミステリーファン以外にも受け入れられるのかな。

時代ミステリーのたのしみ

夏樹　時代小説はどう？　ぼくは山本周五郎[38]をよく読んだな。いわゆる江戸人情物。

＊**36**　戦争に引き裂かれた親子の悲劇を描くミステリー。一九六二年刊。

＊**37**　一九五六年発表。翌年映画化もされた。

＊**38**　一九〇三〜一九六七年。市井に生きる庶民の姿を描く作品で知られる。著書に『赤ひげ診療譚』『樅の木は残った』など。

春菜　わたしは池波正太郎派[*39]。その中でも食べ物が出てくる作品を選んで読んだ。また食べ物……（笑）。でも読んでいるうちに気がついたけど、池波正太郎の食べ物系の長屋連作短篇って、イギリスの競馬シリーズの……。

夏樹　ディック・フランシス[*40]？

春菜　そう。ディック・フランシスと同じで、途中でどれを読んでいたかわからなくなる。結局シリーズを読み切る前に断念しちゃった（笑）。

夏樹　ファンにとってはむしろそこが魅力なんだろうね。藤沢周平[*41]もそう。

春菜　そういえば最近、江戸人情長屋話物がたくさん出ているよね。本屋さんに行くと、必ず一角がそのジャンルで埋まっている。パッと見では全部同じに見えるけど、一体どんな読者が読んでいるだろうって思う。やっぱり安心感を求めてるのかな？

夏樹　だろうね。

春菜　良くも悪くも金太郎飴の世界だ。

夏樹　安心してその世界に浸っていられる。お風呂みたいなものだ。

春菜　まさに。どれを読んでも安心だし、いい湯加減で気持ち良く楽しめる。それで言うと、今って時代小説はどんどん「ゆるふわ」になってきている気がする。

＊39　一九二三～一九九〇年。『鬼平犯科帳』『剣客商売』などで知られる。美食家であり、食にまつわるエッセイも多い。

＊40　一九二〇～二〇一〇年。元旗手で競馬ミステリーの確立者。著書に『本命』『大穴』など。

＊41　一九二七～一九九七年。下級武士や庶民の哀歓を端正な文体で描く。著書に『蟬しぐれ』『たそがれ清兵衛』など。

夏樹　ゆるふわ時代小説？

春菜　毎回ちょっとした謎が提示されて、それを長屋のみんなで解決する、みたいなパターン。少し若い人たち向けの本だと、そこに妖怪が絡んでくる。

夏樹　畠中恵[*42]とか？

春菜　そうです。ちょっとライトノベルっぽい世界。それはそれで全然かまわないんだけど、そこから入った読者ってなぜか宮部みゆき[*43]の時代物には行かないのね。そこはもったいない。

夏樹　そうだね。ぼくも時代物はあまり読んでいないけど、彼女の小説は好きだよ。現代物はだいたい読んだ。

春菜　宮部さんってかなり松本清張の影響があるよね。

夏樹　それはもう。清張の短篇集の編者もしてるくらいだから。

春菜　『火車』[*44]なんて特にそう。

夏樹　あの作品のように戸籍のすり替えを扱う小説はその後にも出たけど、読み比べると『火車』のほうがずっと出来が良い。素晴らしい作家です。

春菜　わたしに宮部みゆきの存在を教えてくれたのはパパだよ。『魔術はささやく』[*45]が出た時、「面白いから」ってすすめてくれた。

夏樹　他にも双子の男の子とお父さん代わりの青年が出てくる『ステッ

*42　一九五九年生まれ。著書に『しゃばけ』『ぬしさまへ』など。

*43　一九六〇年生まれ。ミステリー、ファンタジー、時代物まで多彩なジャンルの作品を手がける。著書に『火車』『理由』『模倣犯』など多数。

*44　カード破産が引き起こす凄惨な事件を描く長篇小説。一九九二年刊。

*45　ある連続自殺事件をめぐり窮地に陥った叔父を救うため、少年守が謎に迫る。一九八九年刊の長篇小説。

プファザー・ステップ』[46]という小説があって、この青年がプロの泥棒という設定。短篇連作だけれど、会話のヒップホップ感がすごく良い。宮部さんはユーモアの設定値を作品ごとにゼロから百まで変えられるという意味で稀有の作家だよ。

春菜　宮部さんは安定していて、どれを読んでも外れがない。

夏樹　そういえば、以前ぼくが何か賞を獲ったとき、彼女が花を贈ってくれたことがあった。「ほとんど会ったことないのに」って、ちょっと驚いたな。

春菜　それはひょっとして、わたしが宮部さんに「宮部さんのこと教えてくれたのはパパです」って何度も言ったせいかもしれません。

夏樹　なんだ、そういうことか（笑）。

ハードボイルドと警察小説の現在

春菜　ハードボイルド小説はどうですか？

夏樹　まっさきに思いつく作家はロス・マクドナルド[47]だね。『さむけ』[48]、それから『地中の男』[49]。ロス・マクには乾いたユーモアがあって、そこが気に入っていた。たとえば、探偵がある無人の家に入るとフクロウと出くわすという場面がある。ロス・マクはそこで、「フクロウが鳴いた。

＊46　双子の兄弟と泥棒がさまざまな謎に挑むユーモア・ミステリー。一九九三年刊。

＊47　一九一五〜一九八三年。ハメット、チャンドラーとともにハードボイルド御三家と呼ばれた。著書に『さむけ』『ウィチャリー家の女』など。

＊48　失踪した女性を追う私立探偵が、複雑に入り組む事件に潜む人間関係と意外な犯人に迫る。一九六四年発表の傑作。

＊49　家族関係が崩壊するアメリカ社会の暗部を描く問題作。一九七一年発表。

私は鳴き返さなかった」と書くんだ（笑）。

春菜　気がきいてる（笑）。わたしがハードボイルドと聞いて思い出すのは、『重力が衰えるとき』[*50]かな。SFなんだけどミステリーの要素もあって、すごくハードボイルドを感じたの。

夏樹　誰だったか、「ハードボイルドのミステリーとはアメリカ西海岸にしか生えてない木だ」と語っていた。ハードボイルドはニューヨークじゃなくてLAから生まれたジャンルだというわけだ。

春菜　たしかに。フィリップ・マーロウ[*51]もリュウ・アーチャー[*52]もロスの探偵だ。と考えると、かなり特殊なジャンル。だけど、「剣と魔法」タイプのファンタジーと同じく、ジャンルとしてのハードボイルド小説はほぼ消えちゃったね。

夏樹　そうだね。あと警察小説もすっかり様変わりした。今「警察小説」と言われて思い浮かべる作家は大沢在昌や高村薫になってしまった。「なってしまった」って別に悪くはないんだけど、昔とはずいぶんイメージが違うよね。『87分署』[*53]とかではもうない。いや、『フロスト日和』[*54]は古風なのかな。

春菜　でも警察小説は何年か前にも『64』[*55]が話題になったりして、ハードボイルドとくらべればまだまだ終わってないと思う。あ、サラ・パレツキー[*56]は？　あれは女ハードボイルドだよね。

＊50　G・A・エフィンジャー作。二十一世紀中東を舞台にしたSF作品。続編に『太陽の炎』『電脳砂漠』がある。一九八七年刊。

＊51　レイモンド・チャンドラーの作品に登場する私立探偵。

＊52　ロス・マクドナルドの作品に登場する私立探偵。

＊53　エド・マクベイン作。一九五〇年代から半世紀にわたり続いた警察小説シリーズ。

＊54　イギリスの作家R・D・ウィングフィールドの警察小説シリーズ第二作。

＊55　横山秀夫作。七日だけの「昭和六十四年」に起きた未解決事件の謎を追う警官たちの物語。二〇一二年刊。

＊56　一九四七年生まれ。女性探偵ウォーショースキーのシリーズで知られる。著書に『サマータイム・ブルース』など。

夏樹　あのシリーズは好きだったな。
春菜　北欧の『ドラゴン・タトゥーの女』[*57]のシリーズ、あれもハードボイルドか。と考えると、意外とまだ元気なのかな……。
夏樹　ちょっと話がそれるけど、女性の法医学官が主人公のシリーズがあるでしょ？
春菜　パトリシア・コーンウェル[*58]ね。『検屍官』[*59]。
夏樹　あのシリーズは一時期よく読んでいたけど、ある時から読むのをやめたの。それはね、ある時たまたま彼女のインタビューを読んだから。彼女はそこで「アメリカでは野生の獣やインディアンのように、害を及ぼす存在や悪い連中がいた。だから私たちは銃を持たなければいけない」と話していた。具体的にインディアンのことを口にしているんだ。腹が立って、それ以来彼女の本は読んでいない。
春菜　アメリカの銃問題、そして民族問題って本当深刻だなあ……。
夏樹　気に入ってた作家だったから、あれにはがっかりした。

注目の作家たち

春菜　わたしが注目している作家は、最近だとキャロル・オコンネル[*60]。『氷の天使』や『ゴーストライター』、キャシー・マロリーが主人公のシ

＊57　スウェーデンの作家スティーグ・ラーソンによる「ミレニアム」シリーズ第一作。二〇〇五年刊。
＊58　一九五六年生まれ。検屍官ケイ・スカーペッタのシリーズで知られる。
＊59　最新の科学技術を駆使して連続殺人事件に挑む女性検屍官を描く。一九九〇年刊。
＊60　一九四七年生まれ。女性警官キャシー・マロリーのシリーズで知られる。著書に『氷の天使』など。

リーズ。マロリーはたいへんな美貌の、でも中味はちょっとおかしな警察官なの。不幸な生い立ちのせいで倫理観が欠如しているけど、一方でコンピュータを扱う手腕は天才的。違法なのに「バレなければいいんだ」ってコンピュータから機密情報を引っ張り出したりする。

夏樹　『ドラゴン・タトゥー』にちょっと似ている？

春菜　そうかも。マロリーは困った人だけど、現れた瞬間にその場を支配しちゃうほどのエネルギーを持っている。良くも悪くも破格な警官。彼女と、彼女のお守り役の人情溢れるおじさんが、難事件を解決していく。周囲の人間にまったく感情移入できない主人公というのが新鮮で、意外に読んでいて気持ちいい。

夏樹　そこが新しいわけだ。

春菜　『ゴーストライター』は、ブロードウェイの劇場が舞台のお話。そこで公演のたびに観客が一人死ぬという事件が起こる。最初に死んだのは脚本家。そして、事件後なぜか舞台の裏にある黒板に、誰が書いたか不明の訂正指示が貼り出されるようになる。役者たちが、なぜかまたその指示を忠実に守るので、お芝居の内容はどんどん変わり、最終的には脚本家の元の文章は一文字も残らない状態になってしまう。……という説明でおわかりの通り（笑）、登場人物が全員どこかおかしいの。役者も変、演出家も変、チケットのもぎりのおばちゃんまでおかしい。おかしい人だらけなので、マロリーのおかしさがあまり目立たない（笑）。

夏樹　ずいぶん作り込んだ小説だね。

春菜　不思議議なお話です。ともかく昨今のミステリー界は勢いがある。『カササギ殺人事件』も非常に話題になったし。

夏樹　あれは良かった。

春菜　『そしてミランダを殺す』[*61]も素晴らしい出来。このところ北欧のミステリーもずいぶん紹介されるようになったよね。

夏樹　最初のきっかけは、なんといっても「マルティン・ベック」シリーズ[*62]の十冊でしょう。北欧物の隆盛はあそこから始まった。

春菜　北欧には今、ものすごく名前の言いにくい作家がいるの。アーナルデュル・インドリダソン[*63]。言いづらいでしょ（笑）。アイスランドの作家。この人も面白い。ミステリーって英米以外にも世界各地に作家がいるのよね。世界的に活気がある。よく知らないけど、南米にはミステリーってあるのかな？

夏樹　南米は聞いたことがないな。

春菜　南米ってそもそもジャンル文学がないのか……。

夏樹　いや、あったよ。『ネルーダ事件』[*64]。中国にはいるね。話題になった『元年春之祭』[*65]とか。

春菜　あれは面白いね。

＊61　ピーター・スワンソン作。ある殺人計画を軸に、殺す側、殺される側の攻防をスリリングに描く。二〇一五年刊。

＊62　スウェーデン出身のマイ・シューヴァル（一九三五～）とペール・ヴァールー（一九二六～一九七五）による警察小説シリーズ。

＊63　一九六一年生まれ。著書に『湿地』『緑衣の女』など。

＊64　ロベルト・アンプエロ作。国民詩人・ネルーダからの依頼で人捜しを始めた探偵の活躍を描くチリ産ミステリー。

＊65　陸秋槎作。前漢時代の中国を舞台に、豪族の娘が連続殺人の謎に挑む本格ミステリー。

夏樹　面白くて、ちょっとねじれている。

春菜　いくらか技巧に走ってる感じはあるけど、楽しかった。

ジョン・ル・カレの魅力

春菜　じゃあいよいよジョン・ル・カレ[*66]についてどうぞ。

夏樹　いいけど、ル・カレについては話すとつい長くなるから手短かに（笑）。

春菜　好きな作家だものね。

夏樹　今言えるのは、彼はやっぱり冷戦期の作家だったということだね。冷戦が終わってからも書いているし、悪くはないけど、もう一つ深みがない。テロリストや武器商人が相手ではやっぱりダメなんだ。ということをふまえて、ル・カレで良いのは『ロシア・ハウス』[*67]。あとはもちろんスマイリー三部作[*68]。イギリスの情報部M16の中にソ連のスパイがいる。それが誰かを特定して排除する。ソ連とイギリスの対決がカーラとジョージ・スマイリーという二人の男の対決として描かれる。彼らの人間的な弱みや作戦行動の細部まで含めて、濃密なイギリス文学になっている。

春菜　スパイ小説の世界も様変わりした。ル・カレはもう古典なんだね。

＊66　一九三一年生まれ。スパイ小説の名手として知られる。著書に『寒い国から帰ってきたスパイ』『スマイリーと仲間たち』など。

＊67　冷戦末期のソ連を舞台に繰り広げられるスパイ戦を描く。一九八九年刊。

＊68　英秘密情報部のスマイリーが活躍する作品『ティンカー、テイラー・ソルジャー、スパイ』（一九七四）『スクールボーイ閣下』（一九七七）『スマイリーと仲間たち』（一九七九）をさす。

Ⅶ

読書家三代

父たちの本

出会い

夏樹　ぼくと父福永武彦との付き合いはなかなか複雑なんだ。順番に話していこう。

春菜　聞こう。わたしも今までまとまった話を聞いたことはない。

夏樹　戦争中に日本女子大を繰り上げ卒業した母と福永が結婚したのが、昭和十九年の秋。それから戦況はますますひどくなり、東京大空襲のあと妊娠中の母は帯広の実家に帰った。福永は東京に留まったけれども、その後結局は帯広にやって来る。そこから母の苦労の多い日々が始まった。

春菜　昭和二十年に帯広でパパが生まれる。

夏樹　うん。ただし、親子三人で暮らしたのは一年半ぐらい。ぼくが生まれてまもなく福永が結核を発病して、帯広のサナトリウムに入った。ところが帯広では治療の方法がないとわかり、清瀬に移るんだ。東京のほうが医学は進んでいたからね。福永の世話のために母親も東京へ行く。仕事を見つけて、働きながら福永を看病する。ぼくはその間、帯広で祖父と祖母と叔母に育てられた。だから物心ついたときに二親はいなかったの。もちろん、母親はときどき帰ってきていたけど。たまに会う時はうれしくてしょうがなかったな。一方父親はサナトリウムにいたから帰れない。全然会うことができない。

春菜　こちらから遊びに行ったりしなかったの？

夏樹　とてもとても、そんなことはできない。当時、東京へ出るってとんでもなく大変なことだったんだ。遠出してもせいぜい札幌まで。札幌には上の伯母がいたからね。

春菜　親子離ればなれだったのね。

夏樹　そういう生活が五年くらい続いたせいで、母親は看病疲れしてしまった。そんなこんなで結局二人は離婚する。当時のぼくは子どもだったし、くわしい事情は知らない。母はその後、だいぶ年下の池澤という男と再婚する。そこからぼくの名前は池澤になったというわけ。

春菜　お祖父さまね。

夏樹　そうしてぼくが六歳になり、翌年四月から小学校に入るところで、母たちはぼくを東京で育てようと考えた。で、帯広から東京にぼくは運ばれる。そこで何年かぶりに父と会う気で池澤と会ったの。じつはその時が初対面だったんだけどね。

春菜　そのとき、どう感じた？

夏樹　父だと思ったよ。そう言われたからね。まったく疑わなかった。
春菜　だいぶ見た目は違うけれども（笑）。
夏樹　見た目も違うし、性格も違う。ぼくとの年齢差も十六歳しかない。考えてみればおかしいんだけど、子どもって空想たくましい一方で意外に迂闊なもので、そんなこと思いもよらなかった。
春菜　特に疑問も持たず「この人が実の父だ」と信じた？
夏樹　うん。なんとなく「この人とは合わないな」なんて思いながら、それでもふつうに暮らしていた。いい人だったし。
春菜　それから？
夏樹　そのまま東京で暮らすことになり、小学校へ入学した。そこにいたっても、まだ気がつかない。自分の母親がかつて詩を書いていたこと、『マチネ・ポエティク詩集』[*1]という本があり、そこに福永という名前が並んでいたこと、なおかつ、子どもの頃に自分の名前が福永だったこと、みんな覚えている。キンダーブックの後ろにカタカナで「フクナガ」と書いてあったことも。それでも、まったく疑わない。不思議だよね。
春菜　なぜ気がつかなかったのかな。
夏樹　たぶん、自分の中でリミッターがかかっていたんだと思う。「それは考えちゃいけないことだ」という形でね。もちろん母に訊くなんてできない。そんな状態がしばらく続いた。

＊1　福永武彦のほか、中村真一郎、加藤周一、原條あき子らが参加した定型押韻詩集。一九四八年に真善美社より刊行された。

春菜　最終的にいつわかったの？

夏樹　変化があったのは高校入学の時。高校に入るにあたって、戸籍を学校へ提出する必要があった。その時にようやく両親が、「まあおまえ、ここ座れ」と。そこで初めて事情を明かされた。妹が生まれていたし。つまり、ぼくにとっては父親違いの妹になる。

春菜　異父妹。

夏樹　そう。そこではじめて父親に「じつはおまえは俺の子じゃない」と伝えられた。

春菜　どう思った？

夏樹　「そうなのか」って。案外冷静だったな。

春菜　本当の父親は福永武彦という人物であると。

夏樹　うん。その頃、福永はサナトリウムを出て再婚もしていた。どうやら立派な作家らしい。「そういえばそんな作家がいたな」とこの時ようやく思いあたった。家に二、三冊は本もあったと思う。読んではいなかったけども、本棚で見た記憶はある。

春菜　はっきり意識はしていないけど、なんとなく予感はしていた。

夏樹　でも母と福永は別れた後、必ずしも和やかな関係ではなかったみたい。そこには経済的な事情もあるんだけどね。

ともかく、向こう（福永）は「いつでも会いに来てほしい」と言っているらしい。きっとぼくが高校生になったことを伝えたんだろう。そう言われてもやっぱり構えちゃうよね。偉そうな人だしな、とか。十五歳だったし、「自分は何者であるか」をずいぶん考える年頃じゃない？　高校も目指した学校へは入れなかった。第一志望に落ちて、ほかへ回された。「カッコ悪いな」って気後れするよね。「親にふさわしい自分ではない」という引け目があるから。

春菜　思春期ですねえ……。結局いつ会ったの？

夏樹　そんなこんなで、会いに行ったのは翌年の秋。それから時々、行き来するようになった。細かいことは何もおぼえてないよ。なにしろ一緒に暮らしていないから、生活感がない。ちょっと名前の知られた親戚のおじさんと会うという感じ。それでも話をすると感覚的に合うのはわかる。特に本の話。本はよく読んでいて、中でも新潮文庫の海外小説はほとんど読破していたから、そんな話をした記憶がある。

春菜　やっぱり共通の話題は本になったんだね。

夏樹　その頃ふいに思い浮かんだのが、子ども時代に読んだ『世界少年少女文学全集』のことだった。小学生の頃、誰かに毎月送ってもらっていたことを思い出した。「あれは福永の采配だったんだ」って。明らかだよね。この全集が読書歴の始まりだったんだ。

春菜　読書の最初の一歩を踏み出した時、じつはそばに福永武彦がいた。

作家・福永武彦との距離

夏樹　それから少しずつ福永の作品を読み始めた。最初はよくわからない。『草の花』[*2]なんて、高校生じゃわからないよ。それでも読む。そうして、こちらが読む力をつけていく中で福永に改めて出会った。新刊が出ればくれるしね。福永はともかく名のある作家で、世間も高く評価している。それはわかった。一方でぼく自身はどうかというと、自分が何をするか、したいのか、よくわからない。大学も結局文系ではなく理科系に行くことになる。

春菜　「将来はこれを目指そう」という希望はなかったの？

夏樹　そうだね……心の底には文学があった。詩を書いたりしていたから。

春菜　でも、真剣にその思いと向き合うことはしなかった？

夏樹　小説のことは考えないようにしていた。その状態が三十五、六歳まで続いた。その間は書く試みも一切しなかった。

春菜　それはなぜ？

夏樹　ぼくは小説が非常に好きで、書くのは楽しいだろうと思っていた。しかし、半端に書くことを試みて自分に才能がないとわかったら、人生

＊2　青年汐見と友人藤木、その妹千枝子との愛と挫折を描く。著者の自伝的要素の濃い作品。一九五四年刊。

の後半に何をしていいかわからなくなる。それを恐れていた。要は臆病なんです。思い立ってさっさと書くってことができなかった。実際に作家の息子で小説を半端に試みて潰れたケースを見てもいたしね。

春菜 パパにもそんな葛藤があったんだ。

夏樹 大学を中退してからは、翻訳をやったり出版社でアルバイトしたりして、業界の隅っこに籍を置くことになった。そうなると、いよいよ半端に書くわけにいかない。もっともこれはあとから考えたことで、当時はそこまで意識してなかった。これも自分にリミッターをかけていた。何か書いて、「これを書いたの福永の息子だって」、「ああ、それにしてはダメだね」と言われることを非常に恐れていた。ある時期から、ぼくはそういう気持ちを抱えながら福永を読んでいた。

春菜 その気持ち、わかる気がする。

夏樹 ずいぶん時間が経ったから、その頃の読みと今現在の個々の作品への評価は、かなり変わっているけどね。

春菜 当時は「作家・福永武彦」と接してどう感じていたの？

夏樹 「作家というのはああして暮らしていくものなのか」と思いながら見ていた。だけど、彼が生きている限り、自分で小説を書くことはないだろうとも思っていた。例外的に詩集だけは福永が存命中に出したけどね。

春菜 『塩の道』[*3]。何か言われた？

*3 書肆山田、一九七八年刊。

夏樹　「いいじゃないか」って。「賞でももらえるといいね」と言うから、「そんな甘くないですよ」とこたえたけど（笑）。

春菜　ひねくれ者（笑）。

夏樹　というのは、自分のやっていることが当時の日本文学の世界——文壇とはいわない——とはかけ離れたものだったから。ぼくの視線はまるきり海外を向いていたし、「自分の仕事はこの国の人たちに評価できないだろう」という思いがあった。生意気だけどね（笑）。ともかく、そんなふうに小説から身を遠ざけているうちに、福永は一九七九年に六十一歳で死んでしまった。

春菜　わたしは結局会えなかったよね。その頃、家族でギリシャに住んでいたから。

小説を書き始める

春菜　亡くなったあと、福永武彦への対しかたは変わっていった？

夏樹　彼が亡くなったのを機に、ぼくと福永の親戚や古い仲間たちとの間で本格的な行き来が始まった。中村真一郎[*4]さんや加藤周一さんね。中村さんとはその前に何度か会っていたけど、加藤さんとは亡くなったあとから。そのあたりからだな、小説を書くことを考え始めたのは。それ

＊4　一九一八〜一九九七年。古今東西の文学への深い教養をもとに数多くの小説、評論をのこす。著書に『死の影の下に』『雲のゆき来』『頼山陽とその時代』など多数。

からさらに数年たって、ようやく『夏の朝の成層圏』[*5]を書く。つまり自分に対して小説を解禁したんだ。

春菜　それは自然に解禁できたの？　それとも「もういいかな」というきっかけがあったの？

夏樹　「ここまで来たら、もう書かないと一生書けない」と思ったんだね。

春菜　後ろから追い立てられ、前にも壁があり、という感じ？「この壁を突破しないと先に進めない」みたいな。

夏樹　そうだね。自分で自分に「おまえ、やってみろよ」とけしかける感じ。「これまでいろいろ読んできたし、ひと通り知ってるんだから」と。

春菜　小説を書き始めるにあたって長い時間がかかった。「いよいよ」という時、どんなことを考えた？

夏樹　まず自分のことは書かない。つまり私小説の類は一切書かない。もっと仕掛けの要るものを書こうと決めた。ただ、いざ書こうという時、書くための「入れ物」がないことに気がついたんだ。つまりフレームがわからない。詩にはそれがあった。詩を書いたのは、ミクロネシアの島に行ったことがきっかけ。そこで未知の広い世界を自分の目で見たことで作品世界のフレームができた。だから『塩の道』が書けた。小説にもそういう枠が必要だ、と気がついたの。

春菜　そこをどう突破したの？

＊5　中央公論社より一九八四年刊。

夏樹　そこでやっと、積み上げてきた海外文学の教養が生きたんだ。「これだ」というアイデアを思いついた。

春菜　フレームを見つけた？

夏樹　うん。「『ロビンソン・クルーソー』を使えばいいじゃないか」って。あの小説は、いろんな作家がフレームに使っていてね。『蠅の王』がそうだし、ミシェル・トゥルニエの『フライデーまたは太平洋の冥界』[*6]もそう。ミュリエル・スパーク[*7]にも『ロビンソン』という小説がある。

春菜　SFにもいっぱいあるね。

夏樹　あれなら使えると思った。そこから、ミクロネシアの島に漂着した男の小説にしようと決めた。そうして書いたのが『夏の朝の成層圏』。

春菜　本が出たあと、どうだった？

夏樹　友だちは面白がってくれた。けれども、そこから先へは評判が広がらない。まあ典型的なパターンではあるよね。当時の日本文学の流れとは異質な、どこにも位置づけられないような小説だったから。今思えば、その段階での自分と福永では、彼のほうがより強く「日本の作家」だったと思う。本人は「そうではない」と言いそうだけど（笑）。でも、福永は「私小説は書かない」と言いながら、実際は書いている。『草の花』がそうだし、短篇にもそれらしいものがいくつかある。でもぼくはそち

＊6　『ロビンソン・クルーソー』の物語を従僕フライデーの側から読みかえた異色作。

＊7　一九一八～二〇〇六年。ブラックユーモア溢れる作風で知られるイギリス人作家。著書に『ミス・ブロウディの青春』『寝ても覚めても夢』など。

らには行かないと決めたし、それを今まで守ってきたと思う。だから、ぼくの小説には、自分の身辺からとった人物も状況もほとんどない。カンナちゃんだけは例外かもしれないけど……。

春菜 私もそう思った。「ヤー・チャイカ」[*8]に出てくるカンナちゃん。あの子は、私と妹を足して二で割ったイメージでしょ。

夏樹 まあね。でも、その中でも父親としての視線は外を見ているから。

春菜 自分が書く側の人間になってから、福永武彦をどう見るようになった？

夏樹 要するに、ぼくにとって福永は、当然読まざるを得ない作家であり、読んで、ある程度評価した作家であり、しかし、幸いなことに資質が違うから、その点でさほど参考にはならない作家だった、ということになるね。

春菜 直接的な影響はあまり受けていない？

夏樹 ないと思う。現時点でのぼくの客観的な福永評価を言おう。まず『草の花』は、あまり感心しない。非常に苦しんで書いた作品だし、あれが出たことで周囲をすごく傷つけたんだけどね。作品自体はさほど良くない。それから『風土』[*9]は、いかにもフランス風に書いた長篇小説だと思う。

春菜 鼻につく？

＊8　偶然知り合ったロシア人の男と主人公、その娘の交流を詩的な文体で描く短篇。『スティル・ライフ』収録。

＊9　関東大震災と第二次大戦勃発の時代を背景に、芸術家の孤独を描く処女長篇。一九五二年刊。

夏樹　でも悪くない。『風のかたみ』[*10]も良い作品だ。『今昔物語』を巧みに換骨奪胎していてよくできている。これはおすすめできる。短篇にも良い作品がある。小説以外だと『芸術の慰め』[*11]。西欧の画家を取り上げた美術エッセイで、手堅くまとまっている。評価するのはそのあたり。『海市』[*12]のように通俗に傾いた作品はいかがなものかと思う。中村さんとぼくはその批判を共有していたよ。

春菜　一番評価している作品は？

夏樹　本当に優れているのは『死の島』[*13]でしょう。長すぎるせいか、あまり読まれない作品だけどね。彼には珍しい原爆という社会的テーマがうまく織り込んであって、力がこもっている。ぼくが福永の代表作を一つ選ぶとしたら、『死の島』になる。

ゴーギャンと『古事記』

春菜　かなり冷静に見ているのね。

夏樹　その一方で、ぼくと福永に共通するテーマもあって、一つはゴーギャン。ぼくにも彼にも、ゴーギャンへの深い関心がある。ただし、福永のゴーギャンは「呪われた画家」なんだ。つまり十九世紀的なロマンチシズムの画家としてのゴーギャン。でも、ぼくにとっては違う。ぼく

＊10　平安時代の京を舞台に、姫君、盗賊、陰陽師らが登場する物語。一九六八年刊。
＊11　ピカソやマティス、ルドン、ムンクらが論じられている。一九六五年刊。
＊12　中年の画家・太吉は旅先で知り合った女性と不倫関係に陥る。だが彼女は友人の妻だった。三人称と一人称が交錯する恋愛劇。一九六八年刊。
＊13　ある青年と広島で被爆した女性画家、彼女と同居する女性。それぞれの生と死をポリフォニックな手法で描く。一九七一年刊。

に言わせれば、ゴーギャンは行き詰ったらとりあえず船に乗るいい加減な男なの（笑）。以前、ＮＨＫで番組を作った時も、ぼくはそのトーンで全体を貫いた。もし福永が生きていて番組を見たら、「これは違う」と言ったかもしれないね。

春菜　全然違うとらえ方なんだ。

夏樹　本人が生きていたら、ぼくが書いたものをどう読んだか、非常に興味がある。だけど、彼が生きている限りぼくは書かなかったわけで、だとしたらこれは最初から矛盾だ。

春菜　そうか（笑）。

夏樹　もう一つ、古典への関心も共通している。古典への造詣ということで言うと、福永の仲間の中村真一郎がずば抜けていて、中村さんは『源氏物語』をはじめ王朝の女流文学に非常にくわしい。『頼山陽とその時代』[14]や『木村蒹葭堂のサロン』[15]なんて江戸の漢詩にもくわしい。それから江戸の漢て著書もある。一方福永の古典の素養は、中村さんほどではなかったと思う。王朝の女流文学はほとんど手を出さず、もっぱら取り上げたのは『今昔物語』と『古事記』。どちらも現代語訳している。『今昔』は、その中のいくつかの話を組み合わせて長篇『風のかたみ』にも生かした。『古事記』のほうは、『おおくにぬしのぼうけん』[16]という子ども向けの本を書いた。

＊14　江戸後期の詩人・歴史家頼山陽の生涯を丹念にたどる評伝作品。一九七一年刊。

＊15　江戸中期の文人・コレクター木村蒹葭堂と、彼のもとに集まる知識人の知のネットワークを描く史伝大作。著者の遺作となった。

＊16　岩崎書店より一九六八年刊。

春菜　『今昔』と『古事記』の現代語訳は今でも文庫で読める。

夏樹　うん。話がそれるけど、『古事記』の現代語訳について少し触れようか。河出書房の『日本文学全集』には、ぼくが訳した『古事記』を入れることにした。というのも、編集部が「池澤さんは何か訳さないんですか」という。その時「いや、ぼくはいいよ」と言ったんだけど……。

春菜　「もう十分働いたよ」と。

夏樹　「後ろから叱咤激励する」と言ったら、「それはダメです。将校が前に出て戦わないと兵隊はついていきません」と。それなら、ということで『古事記』を訳すことにしたわけ。もっとも最初は安易に考えていて、福永が訳したものに少し手を入れればいいだろうと思っていた。ところが、そうはいかなかった。実際に読んでみて、すぐにこれはダメだとわかった。というのは、福永訳には『古事記』ならではのスピード感が欠けていたんだ。

春菜　スピード感って？

夏樹　ぼくの考える『古事記』は話がはやいの。次から次へと場面が移り変わる。誰かと誰かが出会う、するとすぐに殺し合うか奪うか寝るかする。実に奔放にみんな動きまわる。その文体のスピード感こそ大事なのに、福永訳はとろいんだ。説明が多かったり敬語を増やしたりしたせいで、スピード感がまるでなくなってしまった。

春菜　失速している。

夏樹　だから、自分でゼロからやり直した。おかげで一年間かかったけど、全然違う『古事記』になったと思う。

春菜　面白いね。読み比べてみよう。

夏樹　つまり、ゴーギャンにしろ『古事記』にしろ、同じものを見ていても捉え方はまるで違うという話だね。ちなみに翻訳をする時に言葉をなるべく節約するのは、詩人の性癖だな。『星の王子さま』の翻訳はたくさんあるけど、ぼくの訳が一番短い。そういう圧縮感は詩からきたものです。

春菜　なるほど。詩と翻訳にはそういう関連があるのか。

父の文学、自分の文学

春菜　二人で小説や詩の話をすることはなかったの？

夏樹　さっき言ったように、ぼくが詩集を出した時は「いいじゃないか」と言ってくれたし、彼の新刊が出るともらったりということはあった。もらった本の感想は言わなかったけどね。批判的なことも言わなかった。でも、そうね……やっぱり言わないな。春菜がぼくの本についてあれこれ言わないのと同じ（笑）。ただ、本人には言わないけど、中村さんと会うと、「今度のあれはちょっとね」なんて話はしてたよ。

春菜 そこも同じだ（笑）。

夏樹 もう一つ、『海市』については、モデル問題があってね。これは身近な人間はみんな気がついた。だから、あれが出た時、「これは周囲を傷つけるし、波乱を呼ぶだろう」と思った。そしたら案の定、大変なことになった。そのストレスで福永は死んだようなものだ。私小説って危ないんだよ（笑）。

春菜 今の時点で、福永武彦という作家をどう考えているの？

夏樹 良い作家だと思う。良い作品もある。

春菜 「マチネ・ポエティク」の人たちについては？

夏樹 中村さんはたくさん書いたけど、一番良いのは『雲のゆき来』[*17]という中篇。これはいくらでも褒められるというぐらい良い小説だ。福永には『雲のゆき来』のような突出した傑作はなかったと思う。堀田善衛[*18]の場合は、個々の作品というより、堀田自身の社会に対する姿勢が素晴らしいのであって、その点では加藤周一に似ている。しかし、加藤さんはほとんど小説を書かなかった。

春菜 なるほど。現実のお付き合いとは別に、かなり客観的に評価しているね。

夏樹 もちろん。福永や彼の仲間たちについて、こういうことを長らく

＊17　江戸時代の詩人の事績をたどる旅が、若い女優の父を巡る旅と重なり、絡みあう。著者の文学的教養が生かされた代表作の一つ。一九六六年刊。

＊18　一九一八～一九九八年。日本、アジア、西欧各地を舞台にした作品のほか、数々の文明批評的エッセイでも知られる。著書に『広場の孤独』『インドで考えたこと』『ゴヤ』など。

モヤモヤと考えてきたから。

春菜 そして、父親が亡くなって初めて作家になった。

夏樹 作家としての自分は、好きなものをほぼ好きなように書いてきた。福永から直積的な影響は受けていない。でも作家が一人身近にいたことで、そういう人種がどんなふうに暮らすのか、書く前から想像はついていた。そういう意味での影響はあったと思う。どうテーマを見つけて、どう加工するか。くわしくは相手の頭の中の出来事だからわからないけど、結果を見ればだいたい想像がつく。福永たちを近くで見続けてきたから、自分の書いたものに対する評価の軸もできていた。おかげで書く仕事への敷居が高くなったようでもあり、低くなったようでもある（笑）。

春菜 自己評価の軸ができていたというのは、最初から？

夏樹 うん。『夏の朝の成層圏』はそう悪くないと思った。『スティル・ライフ』[*19]もまあいいんじゃないか。あの時の自分が一番自由に書くとこうなると思えた。それはぼくの評価だけど、結局『スティル・ライフ』は芥川賞につながった。おかげでその後非常に書きやすくなったよ。

春菜 「これでいいんだ」と思えた？

夏樹 いや、「本当にわかってるのかな」と思ったけど（笑）。でも「あれが出たことでどのぐらい風通しがよくなったか」「これが読みたかったと思った」と人に言われて、「そうか」と思えるようになった。そん

＊19 アルバイト先で出会った佐々井の謎めいた魅力に惹かれ、交流を深めていく「ぼく」。そんなある日、「ぼく」は佐々井から不思議な仕事を頼まれる。一九八七年下半期芥川賞受賞作。

なわけで、親たちの世代を見て、現代日本の小説に対する物差しを作り、それを応用しながら書いてきた。今までそれで大失敗はなかったと思っているよ。

春菜　自分の評価で「これ」という作品は何になる？

夏樹　自己評価でいえば『マシアス・ギリの失脚』はかなり良いんじゃないか。あれは若くて元気な時だから書けた作品だよ。ああいうアイデアは、もうなかなか出てこない。

春菜　書くのに体力が要りますね。

夏樹　想像力の飛び方が違うんだ。齢を取ると、どうしてもそれまで得た方法に頼りがちになる。テーマを手持ちの方法で組み立ててしまう。それが悪いとは言わないけど、作家としてやんちゃでなくなったとも言えるから。

春菜　熟練して技術がきくようになったってことかな。

夏樹　その場その場は、うまくさばいて書く。その代わり、良くも悪くも乱暴さがなくなった。

春菜　粗削りな良さが消えてしまった？

夏樹　そうだね。

春菜　そこも冷静なんだ（笑）。じゃあ福永作品を時系列で読んでいて、「ここでこんなふうに変わった」とか、「この時は停滞していて、ここで先に進んだな」とか、作家としての変遷を感じることはあった？

夏樹 特にないね。ただ、『死の島』は、本当に時間をかけて書いているし、緊張感を最後まで保っていると感じた。最初のアイデアがあれば書けない話ではない。問題はそのあとどう誠実に船を進めるか。そこのところはうまく乗り越えている。でも、あの作品のあと、彼は私生活の問題で力を失って、ほとんど小説は書けなくなった。書くつもりがあるように言ってたらしいけど、無理だった。つまり『死の島』は、彼の最良かつほぼ最後の小説ということになる。

春菜 ｉｆの話になるけど、福永武彦がもっと長生きしたら、パパが小説を書き始めるタイミングは変わっていたよね。書かなかった可能性もある？

夏樹 今となってはわからない。それでも書いたかもしれないしね。ただ、幸い福永とぼくは名字が違っていたから、ぼくが福永の息子であることは、世間的には知られずに書くことができた。それは良かったと思う。いつだったか、吉行淳之介[20]と石原慎太郎[21]とぼくで、芥川賞を回顧する座談会やったことがあるけど、その時吉行さんが、「石原君、知ってるかい。この人、福永の息子だよ」って。でも石原氏は知らなかった。驚いてたよ（笑）。彼は『草の花』の熱烈なファンなんだ。

春菜 それくらい知られていなかったのね。

＊20　一九二四〜一九九四年。洗練された文章で男女の性と生を描いた。著書に『驟雨』『暗室』『鞄の中身』など。

＊21　一九三二年生まれ。大学大学中に『太陽の季節』で芥川賞受賞。その後政界に進出、東京都知事をつとめた。著書に『狂った果実』『化石の森』など。

夏樹　うん。それでも福永武彦が父であることによる、精神的なアドバンテージはあった。翻訳とエッセイと詩、それから請負編集。そこに携わったことも合わせて、自分の書いたものがどう評価されるか、おおむね予想がついたからね。『夏の朝の成層圏』の時は、「一応文芸誌には載るだろう」と思えたし。もっとも、あとから振り返れば何とでも言えるけどね。

春菜　詩については？

夏樹　「マチネ・ポエティク」の連中が試みた押韻定型詩は、ぼくもちょっと書いてみたけど、全然ダメだった。あの形式ではうまく書けなかった。それはぼくだけじゃなくて、「マチネ・ポエティク」のメンバーも同じでね。一番うまかったのは原條あき子、つまりぼくの母、きみの祖母。読み比べるとわかるけど、段違いにうまいんだ。だから母に「あなたの詩はダメね」と言われても、「はい」というしかない。

春菜　（笑）。

夏樹　詩を書くなら全然違うタイプの詩を書くしかない、と理解していたよ。

春菜　『塩の道』を発表したのはどういういきさつで？

夏樹　三浦雅士[*22]がきっかけを作ってくれた。彼とは長い付き合いでね。「ユリイカ」の編集長だった時に、彼から「何か評論を書かない？」と声を

＊22　一九四六年生まれ。編集者、文芸評論家。『ユリイカ』『現代思想』編集長を経て、文芸評論家へ。著書に『メランコリーの水脈』『青春の終焉』など。

かけられた。その時、「いや、俺は詩を書く」とこたえたの。それがきっかけ。すぐに彼は「じゃあ載せるよ」と応じてくれた。そこでぼくは、いきなり五百行の詩を書いたの。それが『塩の道』。それから詩集にして二冊と半分くらいの分量を書いたかな。

春菜　今はもうあまり詩は書かないのね。

夏樹　そうだね。昔、福永が「詩集というのは、若い時一冊あるとカッコいい。まあそんなものだ」と話していた。彼自身もそうでしょう。晩年は詩を書かなくなった。小説を書くようになってから、詩は書かない。ぼくもまあそうだ。それが通常のケースで、最後まで両方並行して書いたのは、室生犀星[*23]ぐらいじゃないかな。

母たちに成り代わって書く

夏樹　それにしても、よくこれほど自分のことしゃべれるようになったものだ。昔は絶対にこんな話はしなかったよ。身辺エッセイでさえ別人格を立てて書いていたからね。『むくどり通信』[*24]だって、自分の体験がもとにはなっているけど、「書いたのは自分じゃない」と思っていたもの。

春菜　それはわたしもそう。いつも自分じゃない別の「わたし」が誰かに手紙を書くつもりで書く。そのほうが楽。自分のことをあからさまな

＊23　一八八九～一九六二年。詩人、小説家。著書に『愛の詩集』『或る少女の死まで』『蜜のあはれ』など。

＊24　朝日新聞社（現在は朝日新聞出版）より刊行されたエッセイ集シリーズ。『むくどり通信』（一九九四）から『むくどり最終便』（一九九九）まで六冊が刊行された。

形で書いたりはしない。自分の経験を、ワンクッション置いて物語として吐き出すことはできても、日記としては書けない。

夏樹　自分についてこれだけしゃべるようになったのは、やっぱり齢のせいだと思う。齢をとると物の見方が変わるし、若い頃は気づかなかったことに気づくようになる。

春菜　たとえば？

夏樹　たとえば自分の母親コンプレックスがいかに強いかってこと。ぼくはけっこう戦闘的なフェミニストで、小説の主人公を職業を持った女性にするケースが多い。それには理由がある、とある時気づいた。母や伯母が、女性であるがゆえに伸ばし切れなかった能力、果たせなかった行動を代わりにヒロインたちにさせているからだと思い至ったんだ。伯母は研究者として優秀だった。しかし時代の制約で十分能力を生かすことができなかった。たいした業績もない男の研究者が次々教授になるのに、自分はいつまでたっても助教授どまり。失望した伯母は定年前に大学を辞めてしまった。母は将来を嘱望された詩人だったのに、若い頃に苦労し過ぎて生きることに疲れてしまった。「小説を書きたい」と話していたけど、ほとんど書かないままで終わった。短篇が三つ四つあるだけ。詩もやめてしまった。

春菜　お祖母さまは不幸だったと思う？

夏樹　後半生はそう悪い人生じゃなかったと思う。だけど、書き手としての才能を十分に伸ばすことはできなかった。その意味では不幸だった。もっと書けたはずなんだ。伯母も母も無念だったと思う。ぼくは自分の小説で彼女たちの不幸を補っている気がするんだよ。

書くことで乗り越える

夏樹　春菜は生まれたときから身辺に本があったから、紙に書かれた文章が本という形になる工程は理解していたんだよね。それを知った上で本を読みふけっていた。

春菜　そうだね。読むこと、書くことが特別なことじゃないという環境だったから。わたしが書くようになってから、よく「血だね」って言われるけど、これって血ではなく環境だよね。

夏樹　そう、環境だよ。

春菜　手の届くところにいくらでも本があって、それを勝手に読んでも何も言われない。「どの本を読め、どの本を読むな」とも言われない。自分の好きな本を好きなように選んで、その中で何が好きなのかをじっくり見極めることができる。「これは面白い。でもこっちはあまり好きじゃない」。日常的にそういう体験ができたわけで、要はバイキング会場にずっといるみたいなものだね。時間制限なし、焦らなくてもいいバイキング会場（笑）。

夏樹 自分の消化力に応じて摂取すればいい。

春菜 何かを書いて表現をするのは特別なことじゃないと思っていたから、タイへ留学して苦しかった時、書くことで自分を守ることができた。

夏樹 留学生活中、膨大な量を書いたんだよね。

春菜 書くしかなかったから。すべての時間を書くことで埋めて日常から逃げる。それしかできなかった。本は段ボール一箱ぐらいしか持っていけなくて、そんなのあっという間に読み切っちゃう。読んでしまえば次はないから、恐怖感で読み進められない。そうなると、自分で書くしかない。あの頃、ひと月で原稿用紙にして四千枚くらい書いた記憶がある。それをフロッピーでどんどん日本に送って。もっとも書いている中身はひたすらずっとキャンキャン、鳴いてるだけ。文章にはなっていないの。ずっと断末魔みたいな叫びを書き綴っていました。

夏樹 状況を知って早く日本に戻したかったけど、なかなか救出できなくてね。ずいぶん心配したよ。

春菜 「日本に帰ったらあれがしたい、これが食べたい」「ここはつらい、嫌だ、助けて」って毎日書いてた。あの時、書くという逃げ場がなかったら、取り返しのつかないことになっていたと思う。

夏樹　そうかもしれない。
春菜　結局四か月で心身不調が高じて強制送還になっちゃった（苦笑）。それはともかく、書くことと読むことへの距離感は環境によるよね。
夏樹　環境だね。ぼくも子どもの頃から比較的出版や新聞に近い環境にいたから、「ゲラ」とか「割付」とか「赤字」とか「原稿料」とか、そういう言葉が頭の上をいつも行き交っていた。
春菜　わたしは、いまだにわからない言葉がけっこうあるけどね（笑）。

声優・池澤春菜の誕生

夏樹　読書傾向がＳＦ・ファンタジーへ特化する前は何を読んでいた？
春菜　手当たり次第に何でも。そうやって読む中で、「私、こういう本が好きなんだ」という発見が重なり、それが特定の出版社の特定のジャンルのものであることに気がついていった。
夏樹　それが東京創元社と早川書房？
春菜　うん。もう一つ言うと、児童文学以外で日本の作品を読んだ記憶があまりないの。前にも話したけど、児童文学でも海外のほうがずっと好きだった。
夏樹　日本の児童文学で面白いものは少ないよね。

春菜　その後、いわゆる和製ファンタジーブームが起きて、ずいぶん様変わりしたけれども、当時の日本の童話はどれも説教くさくて。しみったれて説教くさくて、ちっとも楽しめなかった。

夏樹　全体に暗いんだ。

春菜　そもそもその手の本自体、家にあまりなかったしね。献本はしょっちゅう届いたから、本はたくさんあったのに。送られてきた本はいつも玄関に積んであって、ある程度の山になると古本屋さんが引き取りに来るというシステム。そこに積んである本から好きに抜き出して読み、面白かったら自分の本棚に入れ、面白くなかったら山に戻す。

夏樹　「あの本がほしい」と言われれば、買っていたんじゃない？

春菜　でも、本を買うって感覚があんまりなかった。なにしろ手元にたくさんあったから。あとは図書館。学校図書館の本はほぼ全部読み尽した。

夏樹　小学校を卒業するまでに、図書館の本をほとんど読破した。

春菜　さらに本屋さんでは立ち読みをした。店頭で一冊読み切ったりしていたし、考えてみれば、子どもの頃は「本は買うもの」という意識がなかったかも。いろんな場所に置いてあって好きに読めるもの、という……。怒られちゃうけど、当時のわたしにとって、本屋さんは図書館みたいな感覚だった……。

夏樹　本屋に行ったきり帰ってこないこともしょっちゅう。ハラハラさせられたよ。

春菜　ある本屋さんでシリーズ物の一冊を読み切った後、別の本屋さんに行き、そこで続きの巻を読む。そんなことをしておりました。

夏樹　当時住んでいた町には本屋が二、三軒あったからね。

春菜　シリーズ全部を本屋をはしごをして読んでしまう。今思えば決して褒められた行為ではない……。

夏樹　でも子どもの頃は本にかかわる仕事をしようとは思ってなかったんでしょう？

春菜　全然。将来は庭師になろうと思ってたもの。庭木の本や図鑑を買ってもらって、それを熱心に読んだりして。

夏樹　そこから声優の道へ進んだのはどういう経緯だったっけ？

春菜　留学先のタイから帰国した後、しばらく外に出られなくなった。人が怖くて話もできない。フラッシュバックですぐに泣いてしまう。そういうわたしを見かねて、おじいちゃまが「これではいかん。春菜をぼくに預けてくれ」って。高校生の頃です。

夏樹　池澤のほうの父がね。

春菜　その時、出版系の広告代理店に連れて行かれたの。一軒家で社員がのんびりデザインしたり打ち合わせしたりしてるような小さな会社。

何だろうと思ったら、「君はしばらくここでアルバイトをしなさい」って。それからそこでお手伝いとして働くようになったんだけど、ある時そこに声優事務所の社長がクライアントとして来たの。そこで、「そうか、声優って世界があるんだ」と知ったのがきっかけ。

夏樹　たまたまその社長と出会ったのがきっかけだったんだ。

春菜　うん。その時に思い出したことがあって、タイにいる時、子どもたちから、「ピ・ナー（わたしのことです）のおうちにドラえもんはいる？」ってよく訊かれてたのね。わたしは「うちにはいないけど、隣町の野比さんのおうちにはいるよ」と答えていた。そこで「そうか、アニメって簡単に海を越えるんだ」って気がついたの。タイの子たちにとっては、アニメで見た日本が日本の姿。そこにはドラえもんがいるし、日本人はみんなあのアニメのような生活を送ってると思っている。それってすごいことだって。本にはできない国境の越え方だよね。

夏樹　アニメーションの影響力はものすごいからね。

春菜　海外でも日本の漫画がすごく流行っていた。日本で週刊誌が出た翌週には、翻訳版がタイの町に並んでいる。留学生たちが日本でその雑誌を買い、すぐに訳して現地に送る。届いたらすぐに刷ってすぐに売る。薄い一話分だけ綴じた本にしてね。そういう本を扱う貸し本屋さんがあった。

春菜　海賊版だ。

夏樹　そう。で、話を戻すと、その声優事務所の社長が、「ラジオのオーディションがあるから受けてみない?」って声をかけてくれたの。でも「しゃべる練習なんてしたことがないし、どうしたらいいかわからない」と言うと、「ぼくと今話していたように話せばいい。そこにマイクがあってもなくても同じでしょ? 行っておいでよ」って。「じゃあ」というので行ったら、なんと受かってしまった。そしたら、次に「こういうアフレコがある。役があるから行っておいで」。「でもアフレコなんて経験ないし何をしたらいいかわかりません」。「大丈夫、現場でみんなが教えてくれる」。「じゃあ行ってきます」(笑)、そのやりとりを繰り返しているうちに、声優になっていたの。さすがに途中で、「声優の勉強をちゃんとしなくていいんですか? 他の人たちはみんな養成所に行ってますけど。『あめんぼ赤いな』とか、『拙者親方と申すは』とか、ああいう発声の訓練が必要では?」と訊いたら、「大丈夫。君は全部現場でおぼえなさい」。それで終了。

春菜　結局、大学には行かなかったんだっけ?

夏樹　中退しました。二年生までは籍を置いていたけど、高校の終わり頃からお仕事を始めてだんだん忙しくなって、大学は行けなくなった。当然出席日数が足りなくなり、休学するか退学するか決めなきゃいけない状況になる。その時に考えました。「わたしは勉強が嫌いじゃない。だから、また勉強したくなったら戻ってくるし、好きなことはずっと続けるはず。でも声優のお仕事は今しかできない。それなら声優を取ろう」と。そんなわけで二年で中退しました。

夏樹 ぼくも中退。中退親子です（笑）。

春菜 そうなんです。二人とも最終学歴は高卒（笑）。大学を辞める時、パパに相談したら、その時「好きにしなさい」って言われたよ。

夏樹 進路については、何も指導はしなかったね。一つは自分がサラリーマンをしなくても食べられるようになったから、まあ何とかなるだろうと思っていた。会社に所属しなくても、誠実に働いてさえいればだいたい大丈夫だと。

春菜 「何をしてもいいよ」って言われた時は嬉しかったな。

夏樹 ぼくはなかなかいいハウスハズバンドだったと思う。よく家事をやるし、子育てもしっかりやった。離乳食作りから始まってね。

春菜 お弁当も作ってくれたものね。

夏樹 弁当も作ったし、掃除洗濯だって嫌いじゃない。父の鑑よ（笑）。でもそれはサラリーマンじゃないからできたことだね。会社勤めじゃないから、自分で時間が自由になった。

春菜 気分転換として料理もできるしね。

夏樹　きみの母親が朝仕事に出て行った後、ぼくが子どもの相手をしたり、洗濯物を干したりする。自分の仕事はその後でやればいい。そういう働き方ができたのは運のいいことだった。だから、サラリーマンになろうとか、タイムカードを持つ仕事をしようとは、まったく思わなかった。

春菜　わたし、周囲に会社勤めの人が全然いないの。自由業と自営業ばっかり。

夏樹　でも、きみの妹だけは一貫してずっとまともだよね（笑）。きっちりお勤めしていたし、きっちりお勤めしている男性と一緒になった。

春菜　うちにはママ系統、パパ系統の血があるかもね。ママ系統の子は、結婚した後もしばらく勤めを続け、今は真面目に育児をしている。パパ系統の子は、地に足のついたお仕事をし、パパ系統の子は、頭から上が雲の上に入っている（笑）。

夏樹　（笑）。

春菜　妹はわたしのことをずっと心配してるもの。「あんなにふわふわ生きていて大丈夫なの？」って。でもわたしもこれまで一度もお勤めしようと考えたことはないな。十代で仕事を始めた時に、「楽しい」と思ったの。「ここでは自分がいじめられていた変わり者である部分を個性と言い換えてくれる」って。気持ちが楽で、次から次に楽しいことがやってくる。波がやって来て、それに乗る。越える。乗る。越える。それを繰り返していたら、いつの間にかここまで来てしまった。だから別の仕事に就こうと考えたことがないし、そもそもできないと思う。

夏樹　会社勤めしている人がいきなりぼくたちのような状態になったら、不安だろうね。「何とかなるよ」で幸い何とかなってきたという生き方だからね。

別名で脚本家デビュー

春菜　自分が書くことに関しては、さっきのパパの話と同じで、わたしも「最初の作品は傑作でないといけない病」。ただ、これは初めて明かすけど、わたし、じつは別名で脚本を書いています。別名にしたのには理由があって、ある時、自分が書くものの評価のされ方に迷ったからなの。つまり、わたしへの評価は、純粋に自分の文章に対する評価なのか、それとも、後ろに背負ったパパと福永武彦込みで下された評価なのか、わからなくなっちゃった。編集者の人たちはいつも褒めてくれるし、大きな直しもいただいたことがない。「これはダメです」と言われたこともない。理由を聞いても、たぶん「問題がないからです」と言ってくれるだろう。でも一度疑心暗鬼になると、それが信じられなくなる。だったらどうすればいいだろう。……とグルグル考えたあげくに、「そうだ、池澤の名前を消して勝負をしよう」と思いついた。別人格を作り上げて書いてみればいい。それなら評価は文章にしかくだされない。しかも、やるなら書いたものを応募するような形じゃなく、もっと速いレスポンスが返ってくるのがいい。ラリーみたいにどんどん打ち合い、叩かれ、評価されて、良ければ褒められる。わたしにとって、そういう場所が脚本だったの。

夏樹　具体的にはどんな経緯だったの？

春菜　直接のきっかけは、その時声優として関わっていたアニメーションの番組。その番組には原作があったんだけど、原作は月一連載なのにアニメーションは毎週オンエアがあるから、原作のストックはあっという間に消化しちゃう。足りない分はオリジナルを作らないと回らない。でも長く続けているとオリジナルを作るのも大変でしょう？　そこで役者たちに、「何かやりたい話はない？」ってスタッフが聞いてくるようになったの。その時に、「こんなのはどうですか」って、いくつか簡単なプロットを考えて書いて渡したら、「これ、このまま脚本で書かない？」って。そこから脚本会議に加わることになった。わけもわからないまま、書いてたら、それが通って。気がついたら、そのまま脚本制作のサイクルの中に入っていた。脚本はだいたい四人のチームで回していくんだけど、わたしもそのチームに加わることになった。すると、一本や二本ではなく、順番に「次のプロットの発表をお願いします」「いいですね。これで書いてください」。それが何度も重なって……。

夏樹　出来上がると放送される。

春菜　さらにそのチームの脚本家が違う作品に関わるときに、わたしにも声がかかる。時間がたつにつれて、気がついたら普通に脚本家として書けるようになっていたというわけ。もちろん、そこにいたるまでの道のりはなかなかハードでした。最初は書き方もわからないし、ノウハウがないから、どうやったら盛り上がるか、それぞれのキャラクターに見せ場を作り、破綻がないように動かしていけるか。そういうことがまったくわからなかった。

当然、ものすごくダメ出しされる。毎回毎回、駅のホームで電車を待つ間にワーッと泣いて、恥ずかしいからサッと涙を拭き、平気な顔して電車に乗って帰る。「今度こそと思ったのにまた通らなかった」「でも、ボロクソに言われたけど指摘されたことは全部納得できる。次こそ通してやる！」って。その繰り返し。

夏樹　修業ってそういうものだよ。

春菜　本当に。そうしてやっと書けるようになってきたの。脚本家って、大ベテランでもデビューしたての新人でも脚本料は変わらないんです。

だけど、大ベテランや上手い人は二稿、三稿で抜ける。ところが新人や下手な脚本家は、五稿、六稿、七稿でも終わらないなんてことがざら。そうなると、ギャランティは同じでも、回せる数が違うから収入が変わってくる。しかも、下手な人には次の声がかからなくなる。基本的にはその四人が同じペースで回していかないとルーティンがおかしくなるから、同程度の実力の書き手で回していくものなの。だから、わたしなんてペーペーだけど、この道三十年のベテランと同じ場所に座らされて、同じレベルのものを要求されて、戦えるわけだよね。

ありがたいことに、同じチームのベテランの人たちも、的確なアドバイスをくれた。たとえば「ここに足りないのは緊張と拡散。グッと締めて緩ませる、その繰り返しがないと、アニメーションなんて見てもらえないよ」「マンガとアニメーションの違いも理解すること。マンガなら大ゴマを使って見開きでバーンと見せられる。でもアニメーションだと一秒で済んじゃう。マンガと同じ迫力をどうやってアニメで見せるか。それを考えて書かないとダメだ」って。実践的。すごく役に立った。

夏樹　そうしてだんだん脚本の書き方が身についた。

春菜　はい。その時、それまで当たり前だと思っていたことが、じつは自分の武器なんだと気がついたの。「こんな話、本当に面白いかな？」って迷いながら提出したプロットが、「これはあなたしか書けない話だ」

と評価されて、「ああそうなのか」と。

夏樹　「池澤春菜」の看板なしでもちゃんと評価されたんだ。

春菜　そんなわけで、じつは何年も前から脚本を書いています。なんといっても自分一人じゃなくてチームで作るところが面白い。原作があれば原作を生かすけれど、それを素材として脚本の形にどう整えるか。エピソードを組み替えたり、流れを作ったり、もとの素材をふくらませたり削ったり。

夏樹　つまり構成力だ。

春菜　そのうちに、他の人の脚本を見分けるポイントもわかってきた。「この流れは気持ち悪い」とか、「自分ならこうするな」とか。そういう「自分にとっての心地よさ」を意識できるようになってからは、「ちゃんとつながった」「うまく流れができた」「いい脚本が書けた」という感覚がつかめたの。

夏樹　修行の成果が出てきたね。

春菜　最近は翻訳物の脚本も書いているけど、翻訳の硬い書き言葉をどうアレンジすればナチュラルに流れていくかを工夫しなきゃいけない。英語の情報量と日本語の情報量がまったく違うから。そんなことを考えるのも面白い。脚本の仕事は今後も続けていきたいと思ってます。

夏樹　執筆はどのぐらいのペースなの？

春菜　多いときは週に三本で、今は二本。三本抱えていた時は、朝十時からのお仕事があるとすると、朝四時に起きて、二時間で一本書く。そのあと出かける準備をしてアフレコに行くという書き方だった。二時間か三時間で一本ぐらいは書けちゃう。他の人がどのぐらいのスピードで書いているかわからないけれど、たぶん書くのは速いほうだと思う。

親の七光り

夏樹　最初から池澤夏樹の娘だって公表していたんだっけ？
春菜　大きな声では言わなかったけど、聞かれたら「そうです」とは答えていたよ。だけど自分からは言わなかった。それでも七光りだってずいぶん言われたんです。でもね、声を大にして言いたい。業界を越えて届くような光なんてありませんから！
夏樹　広大な世界をさんさんと照らすほどの光じゃない（笑）。
春菜　そもそも親の七光りなんて長持ちしないですよ。LEDじゃないんだから。マグネシウムみたいなもので、ピカッと光って瞬間に消えちゃう。一瞬目がくらんだ後はもう暗闇。その程度。だったら自分で火をおこしたほうが楽ちんです。
夏樹　ぼくの場合、小説を書き始めた時に父は死んでいたし、幸いなことにあまり比べられずにすんだ。

春菜　でも、そう言っておいて何だけど、一方で池澤の名前に守られているると感じることもある。あからさまな形ではないけど、いつもうしろに親の姿を見られてはいるとは思う。何か起きた時、場合によっては上から失礼な態度を取られかねない時も、気を使ってもらえるとか。

夏樹　発注する側からいえば、安心感があると思う。相手が何者であるか、すでにわかっているんだから。それはぼくの場合もあった気がする。まったく背後の見えない人間ではないから、「そう変なものは書かないだろう」という安心感ね。でも、注文に一つ一つ誠実に応じているうちに、それはぼく自身の評価になっていく。福永は、「いずれ自分は夏樹の父として知られるようになる」と話していたらしいよ。あとになってその話を聞いて、さすがに「嘘だろう」と思ったけど（笑）。

春菜　パパだって言ってるじゃない、「いずれぼくは春菜の父として知られるようになる」って（笑）。

夏樹　実際に「このあいだの春菜さんのお仕事は」って言われるからね。

春菜　わたし、エッセイでも書評でも、基本的にお仕事の依頼はお断りしないようにしている。今までの経験からして、全然畑違いの依頼ってないから、それでも大丈夫。全部受けられる。それはわかっているんだけど、それでもやっぱり、毎回怖い。ちゃんと考えると、「自分に書けるだろうか」って怖くなる。だから、あえて深く考えずに受けるようにしてるの。反射的に「やります、大丈夫です、まかせてください」って。

夏樹　毎回、「今度は無理だ」と思うけれど、終わってみたらできていた。そういうものだよ。特に若いうちはそうだ。

春菜　「何とかなる」が積み重なると、だんだん、「これならあの手法でいける」とか、「この書き方でいけばまとまる」とある程度わかるから、最初の頃あった「頭がグルグル」の時間は少なくなった。グルグルはするよ。でも前は十グルグルだったのが、七グルグルぐらいで抜けられるようになった。

夏樹　ぼくの場合、手持ちのストックが多いものだから、そのストックを組み合わせればたいていは何とかなってしまう。ちょっと怠惰な姿勢になってきているから、そこは気をつけないとマズいなと思う。

春菜　それでも毎回新しいことをしたいと思う。その内容を書くのに一番適したスタイル、適した文章、適した入口が何なのか。「こうとしか書けない」というギリギリまで自分を追い込みたい。仮に掲載する媒体が違ったとしても、文章量が違っていても、結局この言葉になる。そういうところまでは持っていかねば、という気持で書いています。

夏樹　プロとはそういうことです。

春菜　そうだよね。

夏樹　われわれの商売の秘密は、まあそんなところだね（笑）。

春菜　脚本の話に戻ると、とにかくそうやって何でも書けるって気が楽なの。池澤春菜の名前では書けないことも、別名義なら書いてもいい。極端な話、別の名前ならポルノだって書こうと思えば書けちゃう。じつはそちらの名前で同人誌にフィクションを書いたこともあるの。試しに書いてみた習作だけど。別名の仕事は逃げられる場所を持っているような感じだな。ちなみに、脚本用のペンネームの名付け親は父です。

夏樹　僕が昔、脚本で使っていた苗字を使った。

春菜　名前は男女どちらとも取れるように、中性的にした。そこもフラットにしたかった。性別で判断されないって、それも一つ自由になれるみたいでいいね。

夏樹　池澤って名字はちょっと重たいか。

春菜　お祖父さまが加田伶太郎の名前でミステリーを書いた時は、福永武彦の名前は伏せてたんだっけ？

夏樹　あれはまあ冗談だから。友人たちは福永だって知っていたよ。でも「こういうのは文学として真面目な姿勢でない」なんて言われたらしい（笑）。

春菜　加田伶太郎って「だれだろうか」のアナグラムでしょ。でも、そういう遊びを楽しむのもミステリーじゃない？　そこに文句をつけるのはヤボだ。あと意外な仕事だと『モスラ』の原作[*25]を書いているし。
夏樹　中村さんの知り合いに東宝のプロデューサーがいてね。その縁で、彼を交えて中村、福永、堀田で話をしているうちに、映画のアイデアがいろいろ出てきたという。『モスラ』はその延長でなんとなくできたらしいよ。
春菜　わたし、いまだに「お祖父ちゃんは『モスラ』の原作者なんでしょ」って言われるもの。
夏樹　そっちで評価されるのか（笑）。何て答えるの？
春菜　「それはそうなんだけど……他にもあるよ」って（笑）。

壁を飛び越える

春菜　これまでずっと書評やエッセイを書いてきたけど、「いつかは小説を書かなきゃ」と思っています。
夏樹　オファーはあったんじゃない？
春菜　ありました。書いたら載せてくれる場所はある。でも、「第一作目が傑作でないといけない病」が根深くて、なかなか書き出せない。
夏樹　フィクションを書くには、心理的にある一線を飛び越えなきゃいけないんだ。世の中には「嘘をついてはいけない」という倫理があるけ

*25　『発光妖精とモスラ』（筑摩書房、一九九四）。

ど、フィクションってそもそも嘘だからね。「そこで彼は立ち上がり、彼女を抱きしめた」と書いたって、彼もいなきゃ彼女もいない。だからフィクションを書く時、最初は戸惑うんだ。少なくともぼくはそうだった。

春菜　そこを飛び越える。

夏樹　言ってみれば万引きと同じ……というと語弊があるけど（笑）。最初は勇気が要る。でも、だんだん上手になるにつれて、大きなものが盗めるようになる。その一線は越えなきゃいけない。中途半端に事実に近いところでだけ書いていても、結局半端なものにしかならない。

春菜　わたしが小説を書いたとして、その中の登場人物の考えや言動がすべてわたし自身に重ねて読まれるかもしれない。それが怖い。私小説的に勘繰られて読まれるんじゃないか。最初から書き手として仕事をしていたら、そんなことは考えないと思うけど、わたしはそうじゃない。だからラブシーンなんて書いたら、「きっと実体験に違いない」と思われそう。そのへんがとても窮屈なんです。

夏樹　ラブシーンの相手をBEM[*26]にすればいいんだよ。

春菜　（笑）。頭の中で、「こういうの書いてみたいな」ってアイデアはたくさんある。でも「これが勝負をかけるだけの価値があるネタなのか」と考えだすと、なかなか踏み出せない。

＊26　Big Eye Monster。12 7頁の記述を参照。

夏樹　ともかく一度書いて、しばらく放っておくといいよ。半年ぐらい置く。そのあと読み返すと、きっと欠点が見えるから。そこからどうするか、考えればいい。

春菜　最初の一歩は、たぶん自分がつらい状況の方が書きやすいと思う。でも、つらくないと書けないとなると、生業にはできない。難しい。

夏樹　大丈夫、すぐ慣れるよ。

春菜　海外へ短期留学するような時に何か書けたらいいな。十代の頃、留学先のタイでひたすら書いたように、書き出すための何かしらの内圧は必要かな。そこをどう乗り越えるか。わたしの今後の課題です。

夏樹　逆境の時やコンディションが悪い時のほうが良いものが生まれるってことはあるよ。集中力が増すのかもしれない。でもきっと大丈夫、何とかなるよ。

春菜　ありがとう。きっと書きます。

夏樹　楽しみにしてます（笑）。

エッセイ

父の三冊

福永武彦の三冊

福永武彦について

池澤夏樹

父親ではなく作家としてのこの人物を紹介するとなると、読むべき作品を挙げるのが常道だろう。そのためにはまず選ばなければならないが、そこのところは少しインチキをする。つまり『池澤夏樹＝個人編集　日本文学全集』第十七巻（河出書房新社）のセレクションをそのまま用いる。すなわち「深淵」、「世界の終り」、「廃市」。

さらにインチキを重ねて（悪事は癖になるのだ）、この巻にぼくが書いた解説を少し加筆した上でここに引く。これはそのままぼくが福永武彦の文学をどう読んできたかの説明にもなるだろう――。

ヨーロッパ文学に学んで更に日本の古典に赴いた作家として見れば、福永武彦からこの巻に採るべきは『風のかたみ』であった。『今昔物語』を縦横無尽に使ってエンターテインメントとしても隙間なく構築された傑作なのだが、ざんねんながらここに収めるにはあまりに長い。文学全集の編集にはそういう物理的な制約もあるのだ。ちなみに福永はこの全集の八巻に入る『今昔物語』の訳者でもある。

福永はまずは長篇作家であり、一つ代表作を挙げれば長大な『死の島』になるのだが、今回はどちらかというと早い時期に書かれた短めの作品を三つ並べることにした。どれもモダニズムとロマンティシズムの原理が互いに助け合ってできた佳作と言うことができる。

「深淵」を今回あらためて読み返して気付いたことであるが、これは十二年後に書かれた『風のかたみ』を先取りしているかもしれない。この二つは共に男が女を掠う話なのだ。

更に、両方の背景に『今昔物語』を読み取ることもできる。この荒々しさは『草の花』で精緻な魂のドラマを書いた福永武彦とは異なるが、暴力性もまた彼の一面である。女の信仰、女の魂の悲哀に満ちた思いを記し、それに粗野ながら自分自身には誠実な男の告白を重ねる。この二人それぞれの心の動きはまことに今昔的だ。結核の療養所という舞台をリアリズムで精緻に書いて現代の小説に仕立てているが、骨格は古代的である。

「世界の終り」は一人の女の「意識の流れ」から始まる。

二十世紀にしばしば使われるようになったこの手法は、例えばジェイムズ・ジョイスの『ユリシーズ』の最終章や、ヴァージニア・ウルフの『灯台へ』、ウィリアム・フォークナーの『響きと怒り』などで効果的に使われた。福永はそれをよく学んで、そこにドッペルゲンガーという心理学的な超常現象を導入し、彼女が正気と狂気の境に立っていることを示唆する。

その先では彼女の夫の視点から現実世界における彼女のふるまいを出会いから現在まで時間を追って記述する。彼は常識人であり、彼女の訴えを「それは君が夢を見たんだよ」と論すけれどもその言葉には何の意味もない。彼の妻には存在に対する「根源的な不安」がある。だから世界が終わると思う。しかし夫にはそれは想像はできても理解はできない。

そして再び彼女の内面の言葉。意識の流れ。

ここで見るべきは、多くの素材や手法を駆使してこの中篇を編み上げている福永の作家としての伎倆である。この作品では主題と文体と形式ないし構造が見事に一致している。『草の花』の二段階、『忘却の河』の家族それぞれの視点からという短篇連作、『死の島』の複雑きわまる時間構造。これがモダニズムの手法の一つであり、その継承者は数多くて今や誰も意識しないが、丸谷才一の『笹まくら』の戦中と戦後の時間の重ね合わせなどその好例と言える。

フランスや英米の新しい文学を積極的に摂取し、心理学や哲学や民俗学に学び、人間の心のふるまいを洗練された文体で作品化するという知的統合能力において、彼は卓越していた。その一方で、身辺に素材を需(もと)めることもないではなかった。『草の花』には自分の体験が色濃く投影されているし、実を言えば「世界の終わり」の女のふるまいに彼の妻であった詩人・原條あき子の帯広における一時期を重ねることも(『福永武彦戦後日記』などを見ると)、見当違いとも言えない気がする。

「廃市」はまったくの創作で、想定された舞台は九州の柳川であるが、作者は現地を踏むこともなく、その風景と雰囲気を田中善徳の写真集に依って書いたと言っている。思い違いと行き違いからの三角関係の悲劇を現実のものとして書くのはむずかしいが、だからこそ背景である町の描写の比重が増すのだ。ヨーロッパ世紀末の頽廃をそのままうまく戦後の日本に持ってきたと評したら作者は何と言ったか。

さて、息子は父の文学についてこれくらいのことを書けるようになった。そして父の享年をはるかに超えてしまった。今は父の一族のことを書くべく準備を重ねている。九州北部から出て多くの事績を挙げた聖公会の信徒たち。

◎池澤夏樹が選ぶ福永武彦の三冊
『深淵』(『池澤夏樹=個人編集　日本文学全集17』河出書房新社収録)
『世界の終り』(同)
『廃市』(同)

池澤夏樹の三冊

ぜんぶ父の話

池澤春菜

池澤夏樹が父でなくとも、わたしは池澤夏樹を読んだだろうか。もともと、日本語になったものは読むけれど、日本語で書かれたものはあまり読まない。だから読まなかったかもしれない。でも、もし読んでいたら、チェレンコフ光だの、空をゆく大きなウミガメのイメージにやられて、少なからぬ文学厨二病ダメージを負っていたと思う。

それとも、この日本語で書かれたものはあまり読まない、という好みからして、既に影響を受けているのかしら。

となると、問い直し。

池澤夏樹が父でなくとも、わたしは本を読んだだろうか。読んだだろうなぁ。辿る道筋は違えど、結局到達するところは同じ、な気がする。

ともあれ。池澤夏樹だって全部読んでいるわけじゃないのだ。ちょっと意地はって、手元にあっても読むまでに暫く寝かせることもある。感想をもったいぶることもある。だけどたぶん、家にある冊数と読んだ冊数では、悔しいけれど日本でも結構上位の愛読者かもしれない。

献本が多いから印税では貢献していない。でもいっぱしの愛読者として偉そうに語らせてもらうのなら、池澤夏樹の魅力は世界との距離感だ。中ではない、外でもない。中と外の境、境界、波打ち際。端っこから世界を見ている。中にいては見えないものを見ようとする。それはたぶん、灯台守とか、船の不寝番のような、ひとりだけの孤独な場所だ。だけど、中にいては見えない美しいもの、離れすぎては気づけない愛しいものを見ることができる場所でもある。

その観点から、池澤夏樹の三冊を選ぶなら。

小説からはさてどうしよう……『スティル・ライフ』、『バビロンに行きて歌え』も『南の島のティオ』も、『きみが住む星』『キップをなくして』『きみのためのバラ』『星に降る雪』『修道院』『熊になった少年』『双頭の船』、『アトミック・ボックス』と『キトラ・ボックス』、どれも割と好きなのだ（ほら、ちゃんと読んでるよ）。でも、ここは重量級の『マシアス・ギリの失脚』にしようと思う。何となくこれは書いたと言うより、書かされた作品、作家が生涯で一度だけ切れる特別なカードのような気がするのだ。と思っていたら本人も「あれは若くて元気な時だから書けた作品だよ。ああいうアイデアは、もうなかなか出てこない」と言っていた。架空の南の島を舞台にした、大統領のお話。分厚く織られた文化、政治、伝説や社会を支えとした長い夢のような、蜃気楼のような、熱夢のようなマジック・リアリズム。次々と起こる不思議な出来事が、レイヤーのように重なって世界を少しずつ覆っていく。一つずつのエピソードと、全体の流れの酩酊感がとても好き。

『世界文学全集』と『日本文学全集』も、その立ち位置と選定眼がいかんなく活かされた丕業だと思う。冊、というにはちょっと量が多いけれど……塊？ 以前、書評家の心得をたずねた時に、セレクトショップみたいなものだよ、と言っていた。その店の品揃えが気に入ったら、いつもは着ない洋服も店主の感性を信じて手を出してくれるかもしれない。そういう信頼される店主になりなさい、と。そういう意味では、この二つの全集は、書評家であり小説家であり随筆家であり翻訳家である池澤にしか編めないものだと思う。信頼できる店主、もしくは船頭の案内で、世界と日本の未知に踏み込んでいく喜び。かつての一家に一揃えのインテリア的文学全集から、世界と自分の隙間を埋めるための本当の教養主義へ。これは日本の読書に対する、けっこうなエポックメイキングだと思うのだ。

もう一冊は悩んだけれど、一番最新の『いつだって読むのは目の前の一冊なのだ』を。「週刊文春」で連載していた「私の読書日記」十六年分、書評がなんと全四百四十四冊。なんてことない入り口から始めて、するすると本を紹介していく。その語り口や、姿勢や、手練手管、あの手この手。ズルいなぁ、と思いつつ、ポストイットが大草原のように貼られていく。あぁ、やっぱり本は良いなぁ、読んでいない本、読みたい本がこんなにあるって、なんて幸せなんだろう。と思ったところで、やっぱり池澤夏樹が父親じゃなくても、わたしは本を読んでいたし、少なからぬ影響を受けていたんだろうな、と気づいた。

ちょっと悔しいのでオマケの一冊。『Ｄｒ．ヘリオットのおかしな体験』（集英社、一九七六）。

ジェイムズ・ヘリオットが自身の体験をもとに書いた、田舎の獣医さん奮闘記。なので、翻訳者としてのお仕事。ドリトル先生シリーズや、ミス・ビアンカ、パディントンにファーブル昆虫記、大好きだった生き物たちのお話であり、大らかで美しい自然描写、さらにはイギリス的シニカルなユーモア。わたしの好きなものが全部入っているのだ。だからこれも、わたしの読書観に少なからぬ影響を与えた一冊。

一番近くに本の話をできる人のいる幸せ。うむ、やっぱり父で良かった。

◎池澤春菜が選ぶ池澤夏樹の三冊
『マシアス・ギリの失脚』(新潮社、一九九三)
『池澤夏樹=個人編集　世界文学全集』全三十巻(河出書房新社、二〇〇七~二〇一一)
『同　日本文学全集』全三十巻(同、二〇一四~二〇二〇)
『いつだって読むのは目の前の一冊なのだ』(作品社、二〇一九)

あとがき

変な本を作ってしまった。

作ったというより喋ったなのだが、その相手というのが、（なんとなく恥ずかしいことに）我が長女である。

自分の子だから育てたには違いないのだが、どうも子供というものは勝手にむくむく育つものであって、そこに手を貸したという実感が薄い。

たしかに赤ん坊の世話はした。しばらく前に書いた『八日目の蝉』（角田光代作、中公文庫、二〇一一）の解説にこう書いた――。

新生児を風呂に入れてやる。大きく開いた左の手のひらに赤ん坊の後頭部を置き、親指と小指で両の耳をふさいで、背中から尻までを下腕に乗せ、ガーゼの肌着を脱がせないまま浴槽に入れる。湯の中でそっと肌着を脱がせる。この順序だと裸が外気にあたって泣くことが少ない。静かに声を掛けながら柔らかい皮膚をゆっくりと洗ってゆく。赤ん坊はいかにも満足げにしている。自分が温泉に浸かる以上の快楽だ。

すべてはその延長上にある。

しかし、知的に育てた覚えはないのだ。

なんだか身辺をうろうろしている子がいて、そのあたりにあった本を持っていっては読んでいる。その姿が視野の隅にちらほらする。そのうち大人になってしまった。いっぱしの口を聞くようになった。

まあそういうことだ。


お喋りの中で、ぼくが通った練馬区立大泉第二中学校の校歌はぼくの母、春菜の祖母が作詞したと書いた。原條あき子は定型詩の集団「マチネ・ポエティク」に属し、いい詩を書いた。せっかくの機会だからここに紹介しておこう——。

風の息吹に包まれ
　樹々の緑にかこまれ
友よ　我ら　この日々を
　新しき知恵で　飾らん

心未来に向かいて
　眼真理を探りて

友よ　我ら　描く夢は
　あの広き空を充たさん
四季を映して麗わし
　武蔵野よ　母なる地
永遠の平和を守る力
　友よ　我ら　養わん

学校名の連呼がないところが新鮮だった。
作曲は江崎健次郎。新進の作曲家であり、あの学校の音楽の教師だった。ぼくたちは恵まれていた。

この本のタイトルはぼくが付けた。白状すれば木下順二の名随筆『ぜんぶ馬の話』（文藝春秋、一九九一）を借りたのだ。あの劇作家は一方で馬に乗る人だった。五校馬術部の主将。それを言うならうちの家系も馬には縁が深い。ぼくの曾祖父とその兄は明治中期に北海道の静内で馬を育てていた。
昔話というのはこんな風に広がる。

二〇二〇年五月札幌　　池澤夏樹

本書に登場する主な書籍

I章　読書のめざめ

『こぎつねルーファスのぼうけん』アリソン・アトリー作、石井桃子訳（岩波書店、一九九一）
『リンゴ畑のマーティン・ピピン』エリナー・ファージョン作、石井桃子訳（岩波書店、二〇〇一）
『ムギと王さま』同作、石井桃子訳（岩波書店、二〇〇一）
『ジャングル学校』リチャード・ヒューズ作、矢川澄子訳（岩波書店、一九七九）
『まほうのレンズ』同作、矢川澄子訳（岩波書店、一九七九）
『ジャマイカの烈風』同作、小野寺健訳（晶文社、一九七二）
『叡智の断片』池澤夏樹作（集英社インターナショナル、二〇〇七）
『ロビンソン・クルーソー　ガリヴァー旅行記』ダニエル・デフォー作、吉田健一訳（『世界少年少女文学全集4』創元社、一九五四）
『子犬のロクがやってきた』中川李枝子作（岩波書店、一九七九）
『次郎物語』下村湖人作（新潮社、一九五四）
『ポリーとはらぺこオオカミ』キャサリン・ストー作、掛川恭子訳（岩波書店、一九七九）
『イングランド童話集』福原麟太郎訳（『世界少年少女文学全集3』創元社、一九五四）
『ツバメ号とアマゾン号』アーサー・ランサム作、神宮輝夫訳（岩波書店、二〇一〇）
『海へ出るつもりじゃなかった』同作、神宮輝夫訳（岩波書店、二〇一三）
『古事記』池澤夏樹訳（『日本文学全集1』河出書房新社、二〇一四）
『ハワイイ紀行』池澤夏樹作（新潮社、一九九六）
『バーティミアス』ジョナサン・ストラウド作、金原瑞人ほか訳（理論社、二〇〇三〜二〇〇五）
『ガンバとカワウソの冒険』斎藤惇夫作（岩波書店、二〇〇〇）
『ウォーターシップ・ダウンのうさぎたち』リチャード・アダムズ作、神宮輝夫訳（評論社、一九八〇）

『床下の小人たち』メアリー・ノートン作、林容吉訳（岩波書店、一九五六）
『野に出た小人たち』同作、林容吉訳（岩波書店、一九七六）
『川をくだる小人たち』同作、林容吉訳（岩波書店、一九七六）
『空をとぶ小人たち』同作、林容吉訳（岩波書店、一九七六）
『五月三十五日』エーリヒ・ケストナー作、高橋健二訳（岩波書店、一九六二）
『エーミールと探偵たち』同作、高橋健二訳（岩波書店、一九六二）
『エーミールと軽わざ師』同作、高橋健二訳（新潮社、一九五〇）
『どうぶつ会議』同作、光吉夏弥訳（岩波書店、一九五四）
『飛ぶ教室』同作、池田香代子訳（岩波書店、二〇〇六）
『南の島のティオ』池澤夏樹作（楡出版、一九九二）
『点子ちゃんとアントン』エーリヒ・ケストナー作、池田香代子訳（岩波書店、二〇〇〇）
『キップをなくして』池澤夏樹作（角川書店、二〇〇五）
『ナルニア国ものがたり』C・S・ルイス作、瀬田貞二訳（岩波書店、一九六六）
『ゲド戦記』アーシュラ・K・ル＝グィン作、清水真砂子訳（岩波書店、一九七六〜二〇〇四）
『指輪物語』J・R・R・トールキン作、瀬田貞二役（評論社、一九九二）
『ピーター・パン』J・M・バリ作、厨川圭子訳（岩波書店、一九五四）
『宝島』スティーブンスン作、阿部知二訳（岩波書店、一九五〇）
『ガリヴァー旅行記』スウィフト作、中野好夫訳（岩波書店、一九五一）
『不思議の国のアリス』ルイス・キャロル作、矢川澄子訳（新潮社、一九九〇）
『ローマ帝国衰亡史』ギボン作、村山勇三訳（岩波書店、一九五一〜一九五九）

II章　外国に夢中！

『星の王子さま』サンテグジュペリ作、池澤夏樹訳（集英社、二〇〇五）
『銀河鉄道の夜』宮沢賢治作（岩波書店、一九五一）
『海底二万里』ジュール・ヴェルヌ作、石川湧訳（岩波書店、一九五六）
『八十日間世界一周』同作、田辺貞之助訳（東京創元社、一九七六）
『月世界旅行』同作、高山宏訳（筑摩書房、一九九九）

『地底旅行』同作、窪田般弥訳（東京創元社、一九六八）
『グラント船長の子供たち』同作、大久保和郎訳（旺文社、一九七七）
『ドリトル先生航海記』ロフティング作、井伏鱒二訳（岩波書店、一九六〇）
『オオバンクラブの無法者』アーサー・ランサム作、岩田欣三訳（岩波書店、一九六七）
『女海賊の島』同作、神宮輝夫訳（岩波書店、一九六八）
『コンチキ号漂流記』ハイエルダール作、神宮輝夫訳（偕成社、一九六三）
『パパーニンの北極漂流日記　氷盤上の生活』イ・デ・パパーニン作、押手敬訳（東海大学出版会、一九七九）
『クローディアの秘密』E・L・カニグズバーグ作、松永ふみ子訳（岩波書店、一九七五）
「ハリー・ポッターシリーズ」J・K・ローリング作、松岡佑子訳（静山社、一九九九〜二〇〇八）
『たのしい川べ』ケネス・グレーアム作、石井桃子訳（岩波書店、二〇〇二）
『デブの国ノッポの国』アンドレ・モロア作、辻昶訳（集英社、一九七九）
『チョコレート工場の秘密』ロアルド・ダール作、柳瀬尚紀訳（評論社、一九七二）
『おばけ桃が行く』同作、柳瀬尚紀訳（評論社、二〇〇五）
『ガラスの大エレベーター』同作、柳瀬尚紀訳（評論社、二〇〇五）
『人間の絆』サマセット・モーム作、中野好夫訳（新潮社、一九五四）
『黒いいたずら』イーヴリン・ウォー作、吉田健一訳（白水社、一九八四）
『一握の塵』同作、奥山康治訳（彩流社、一九九六）
『ブライヅヘッドふたたび』同作、吉田健一訳（筑摩書房、一九九〇）
『くまのパディントン』マイケル・ボンド作、木坂涼訳（理論社、二〇一二）
『ムーミン谷の彗星』トーベ・ヤンソン作、下村隆一訳（講談社、一九六九）
『ムーミンパパ海へ行く』同作、小野寺百合子訳（講談社、一九七〇）
『ペット・セマタリー』スティーヴン・キング作、深町真理子訳（文藝春秋、一九八九）
『タンタンの冒険』エルジェ作、川口恵子訳（福音館書店、二〇一一）
『あしながおじさん』ジーン・ウェブスター作、坪井郁美訳（福音館書店、一九七〇）
『魔法使いハウルと火の悪魔』ダイアナ・ウィン・ジョーンズ作、西村醇子訳（徳間書店、一九九七）
『こんどまたものがたり』ドナルド・ビゼット作、木島始訳（岩波書店、一九七九）

Ⅲ章　大人になること

『宝島』スティーブンスン作、阿部知二訳（岩波書店、一九六三）

『不思議の国のアリス』ルイス・キャロル作、矢川澄子訳（新潮社、一九九〇）

『くまのパディントン』マイケル・ボンド作、木坂涼訳（理論社、二〇一二）

『海に育つ』リチャード・アームストロング作、林克己訳（岩波書店、一九五七）

『水深五尋』ロバート・ウェストール作、金原瑞人ほか訳（岩波書店、二〇〇九）

『骨は珊瑚、眼は真珠』池澤夏樹作（文藝春秋、一九九五）

『赤毛のアン』L・M・モンゴメリ作、村岡花子訳（新潮社、一九五四）

『続あしながおじさん』ジーン・ウェブスター作、松本恵子訳（新潮社、一九六一）

『クオーレ』エドモンド・デ・アミーチス作、和田忠彦訳（岩波書店、二〇一九）

Ⅳ章　すべてSFになった

『宇宙戦争』H・G・ウェルズ作、中村融訳（東京創元社、二〇〇五）

『三惑星連合軍』E・E・スミス作、小西宏訳（東京創元社、一九六八）

『アンドロイドは電気羊の夢を見るか？』P・K・ディック作、浅倉久志訳（早川書房、一九七七）

『スローターハウス5』カート・ヴォネガット・ジュニア作、伊藤典夫訳（早川書房、一九七八）

『タイタンの妖女』同作、浅倉久志訳（早川書房、一九七七）

『母なる夜』同作、池澤夏樹訳（白水社、一九八四）

『竜の卵』R・L・フォワード作、山高昭訳（早川書房、一九八二）

『セミオーシス』スー・バーク作、水越真麻訳（早川書房、二〇一九）

『タコの心身問題　頭足類から考える意識の起源』ピーター・ゴドフリー＝スミス作、夏目大訳（みすず書房、二〇一八）

「オナー・ハリントン・シリーズ」デイヴィッド・ウェーバー作、矢口悟訳（早川書房、一九九九〜）

『宇宙船ビーグル号』A・E・ヴァン・ヴォクト作、浅倉久志訳（早川書房、一九七八）

『ビーグル号航海記』チャールズ・ダーウィン作、島地威雄訳（岩波書店、一九五九〜一九六一）

『ソラリス』スタニスワフ・レム作、沼野充義訳（早川書房、二〇一五）

『カエアンの聖衣』バリントン・J・ベイリー作、大森望訳（早川書房、二〇一六）

『文字渦』円城塔作（新潮社、二〇一八）

『アトミック・ボックス』池澤夏樹作（毎日新聞社、二〇一四）
『三体』劉慈欣作、大森望ほか訳（早川書房、二〇一九）
『セレモニー』大力雄作、金谷譲訳（藤原書店、二〇一九）
『マシアス・ギリの失脚』池澤夏樹作（新潮社、一九九三）
『南の島のティオ』池澤夏樹作（楡出版、一九九二）
『南方郵便機』サン・テグジュペリ作、山崎庸一郎訳（みすず書房、二〇〇〇）
『高い城の男』フィリップ・K・ディック作、浅倉久志訳（早川書房、一九八四）
『ディファレンス・エンジン』W・ギブスン&B・スターリング作、黒丸尚訳（角川書店、一九九三）
『パヴァーヌ』キース・ロバーツ作、越智道雄訳（筑摩書房、二〇一二）
『浮かぶ飛行島』海野十三作（講談社、一九七〇）
『妖星伝』半村良作（講談社、一九七五〜一九九三）
『石の血脈』同作（早川書房、一九七一）
『戦国自衛隊』同作（早川書房、二〇七五）
『銀河鉄道の夜』宮沢賢治作（新潮社、一九八九）
『小説講座　売れる作家の全技術　デビューだけで満足してはいけない』大沢在昌作（角川書店、二〇一二）
『ベストセラー小説の書き方』ディーン・R・クーンツ作、大出健訳（朝日新聞社、一九九六）

V章　翻訳書のたのしみ

『世界の終わりとハードボイルド・ワンダーランド』村上春樹作（新潮社、一九八五）
『ノルウェイの森』同作（講談社、一九八七）
『ねじまき鳥クロニクル』同作（新潮社、一九九四〜一九九五）
『蠅の王』ウィリアム・ゴールディング作、平井正穂訳（新潮社、一九七五）
『ニューロマンサー』ウィリアム・ギブスン作、黒丸尚訳（早川書房、一九八六）
『カウント・ゼロ』同作、黒丸尚訳（早川書房、一九八七）
『モナリザ・オーヴァドライヴ』同作、黒丸尚訳（早川書房、一九八九）
『カササギ殺人事件』アンソニー・ホロヴィッツ作、山田蘭訳（東京創元社、二〇一八）
『ゴーストライター』キャロル・オコンネル作、務台夏子訳（東京創元社、二〇一九）

『星を継ぐもの』ジェイムズ・P・ホーガン作、池央耿訳（東京創元社、一九八〇）
『モービー・ディック・イン・ピクチャーズ　全ページイラスト集』マット・キッシュ作、柴田元幸訳（スイッチパブリッシング、二〇一五）
『夏への扉』ロバート・A・ハインライン作、福島正実訳（早川書房、一九七九）、新訳版、小尾芙佐訳（早川書房、二〇〇九）
『存在の耐えられない軽さ』ミラン・クンデラ作、千野栄一訳（集英社、一九九三）、西永良成訳（河出書房新社、二〇〇八）
『路上』ジャック・ケルアック作、福島実訳（河出書房新社、一九七〇）
『オン・ザ・ロード』同作、青山南訳（河出書房新社、二〇一〇）
「氷と炎の歌シリーズ」ジョージ・R・R・マーティン作、岡部宏之訳（早川書房、二〇〇二〜二〇〇七）、酒井昭伸訳（早川書房、二〇〇八〜）
『停電の夜に』ジュンパ・ラヒリ作、小川高義訳（新潮社、二〇〇〇）
『Last Things』Jenny Offill（Vintage、二〇一五）
『火星年代記』レイ・ブラッドベリ作、小笠原豊樹訳（早川書房、一九七六）
『たんぽぽ娘』ロバート・F・ヤング作、伊藤典夫訳（河出書房新社、二〇一三）
「異色作家短篇集シリーズ」フレデリック・ブラウンほか作、星新一ほか訳（早川書房、二〇〇五〜二〇〇七）
『くじ』シャーリイ・ジャクスン作、深町眞理子訳（早川書房、二〇〇六）
『特別料理』スタンリイ・エリン作、田中融二訳（早川書房、二〇〇六）
『世界推理作家短編傑作集』江戸川乱歩編、宇野利泰ほか訳（二〇一八〜二〇一九）
『歌う船』アン・マキャフリー作、酒匂真理子訳（東京創元社、一九八四）
『戦う都市』アン・マキャフリー&S・M・スターリング作、嶋田洋一訳（東京創元社、一九九五）
『魔法の船』アン・マキャフリー&ジョディ・リンナイ作、嶋田洋一訳（東京創元社、一九九五）
『航路』コニー・ウィリス作、大森望訳（早川書房、二〇一三）
『フランケンシュタイン』メアリー・シェリー作、森下弓子訳（東京創元社、一九八四）
『未来のイヴ』ヴィリエ・ド・リラダン作、齋藤磯雄訳（東京創元社、一九九六）
『R.U.R.』カレル・チャペック作、来栖継訳（十月社、一九九二）
『科学する心』池澤夏樹作（集英社インターナショナル、二〇一九）
「造物主シリーズ」ジェイムズ・P・ホーガン作、小隅黎訳（東京創元社、一九八五〜一九九九）

『本を読む。松山巖書評集』松山巖作（西田書店、二〇一八）
『サンリオSF文庫総解説』牧眞司・大森望編（本の雑誌社、二〇一四）

VI　謎解きはいかが？
『ドラゴン殺人事件』S・S・ヴァン・ダイン作、井上勇訳（東京創元社、一九六〇）
『Xの悲劇』エラリー・クイーン作、鮎川信夫訳（東京創元社、一九六〇）
『Yの悲劇』同作、鮎川信夫訳（東京創元社、一九五九）
『Zの悲劇』同作、鮎川信夫訳（東京創元社、一九五九）
『レーン最後の事件』同作、鮎川信夫訳（東京創元社、一九五九）
『アクロイド殺し』アガサ・クリスティ作、田村隆一訳（早川書房、一九七九）
『ミス・マープルと13の謎』同作、深町眞理子訳（東京創元社、二〇一九）
『ポンド氏の逆説』G・K・チェスタトン作、南條竹則訳（東京創元社、二〇一七）
『推理小説集』コナン・ドイルほか作、水谷準ほか訳（『世界少年少女文学全集46』創元社、一九五五）
『月長石』ウィルキー・コリンズ作、中村能三訳（東京創元社、一九六二）
『小栗虫太郎集』（『日本探偵小説全集6』東京創元社、一九八七）＊『黒死館殺人事件』収録
『虚無への供物』中井英夫作（講談社、一九七四）
『哲学者の密室』笠井潔作（東京創元社、一九九二）
『薔薇の女』同作（東京創元社、一九八三）
『天上縊死』結城昌治（早川書房、一九六一）＊「寒中水泳」収録
『長い長い眠り』同作（東京創元社、二〇〇八）
『点と線』松本清張作（新潮社、一九七一）
『球形の荒野』同作（文藝春秋、一九七五）
『顔・白い闇』同作（角川書店、一九五九）
『火車』宮部みゆき作（新潮社、一九九八）
『魔術はささやく』同作（新潮社、一九九三）
『ステップファザー・ステップ』同作（講談社、一九九六）
『さむけ』ロス・マクドナルド作、小笠原豊樹訳（早川書房、一九七六）

『地中の男』同訳、菊池光訳（早川書房、一九八七）
『重力が衰えるとき』ジョージ・アレック・エフィンジャー作、浅倉久志訳（早川書房、一九八九）
『64』横山秀夫作（文藝春秋、二〇一二）
『ミレニアム1　ドラゴン・タトゥーの女』スティーグ・ラーソン作、ヘレンハルメ美穂ほか訳（早川書房、二〇〇八）
『検屍官』パトリシア・コーンウェル作、相原真理子訳（講談社、一九九二）
『ゴーストライター』キャロル・オコンネル作、務台夏子訳（東京創元社、二〇一九）
『そしてミランダを殺す』ピーター・スワンソン作、務台夏子訳（東京創元社、二〇一八）
「刑事マルティン・ベック・シリーズ」マイ・シューヴァル＆ペール・ヴァールー作、高見浩訳（角川書店、一九七一〜一九七九）
『ネルーダ事件』ロベルト・アンプエロ作、宮崎真紀訳（早川書房、二〇一四）
『元年春之祭』陸秋槎作、稲村文吾訳（早川書房、二〇一八）
『ロシア・ハウス』ジョン・ル・カレ作、村上博基訳（早川書房、一九九〇）
『ティンカー、テイラー、ソルジャー、スパイ』同作、菊池光訳（早川書房、一九八六）
『スクールボーイ閣下』同作、村上博基訳（早川書房、一九八七）
『スマイリーと仲間たち』同作、村上博基訳（早川書房、一九八七）

Ⅶ　読書家三代

『マチネ・ポエティク詩集』福永武彦、原條あき子、加藤周一、中村真一郎ほか作（水声社、二〇一四）
『草の花』福永武彦作（新潮社、一九五六）
『塩の道』池澤夏樹作（書肆山田、一九七八）
『夏の朝の成層圏』池澤夏樹作（中央公論社、一九八四）
『蠅の王』ウィリアム・ゴールディング作、平井正穂訳（新潮社、一九七五）
『フライデーあるいは太平洋の冥界』ミシェル・トゥルニエ作、榊原晃三訳（岩波書店、一九八二）
『ロビンソン』ミュリエル・スパーク作（未訳、一九五八）
『スティル・ライフ』池澤夏樹作（中央公論社、一九八八）＊「ヤー・チャイカ」収録
『風土』福永武彦作（新潮社、一九五二）
『風のかたみ』同作（新潮社、一九五七）

『芸術の慰め』同作（講談社、一九六五）
『海市』同作（新潮社、一九六八）
『死の島』同作（河出書房新社、一九七一）
『頼山陽とその時代』中村真一郎作（中央公論社、一九七六）
『木村蒹葭堂のサロン』同作（新潮社、二〇〇〇）
『おおくにぬしのぼうけん』福永武彦作（岩崎書店、一九六八）
『古事記』池澤夏樹訳（『日本文学全集1』河出書房新社、二〇一四）
『古事記』福永武彦訳（『日本国民文学全集1』河出書房新社、一九五九）
『雲のゆき来』中村真一郎作（筑摩書房、一九六六）
『マシアス・ギリの失脚』池澤夏樹作（新潮社、一九九三）
「むくどり通信シリーズ」池澤夏樹作（朝日新聞社、一九九四〜一九九九）
『発光妖精とモスラ』中村真一郎、福永武彦、堀田善衛作（筑摩書房、一九九四）

〈エッセイ〉父の三冊
『堀辰雄・福永武彦・中村真一郎』（『日本文学全集17』河出書房新社、二〇一五）＊『深淵』『世界の終り』『廃市』収録
『マシアス・ギリの失脚』池澤夏樹作（新潮社、一九九三）
『世界文学全集』（河出書房新社、二〇〇七〜二〇一一）
『日本文学全集』（河出書房新社、二〇一四〜二〇二〇）
『いつだって読むのは目の前の一冊なのだ』池澤夏樹作（作品社、二〇一九）

＊登場する書籍にはさまざまな版があるが、ここでは著者が手にした版を中心に記載した。刊行年については文中に出てくるものはその版を優先し、それ以外については文庫のあるものはその刊行年を記載した。

池澤夏樹（いけざわ・なつき）
一九四五年生まれ。作家、詩人。小説、詩やエッセイのほか、翻訳、紀行文、書評など、多彩で旺盛な執筆活動をつづけている。また二〇〇七年から二〇二〇年にかけて、『個人編集　世界文学全集』、『個人編集　日本文学全集』（各全三十巻）を手がける。著書に『スティル・ライフ』、『マシアス・ギリの失脚』、『池澤夏樹の世界文学リミックス』、『いつだって読むのは目の前の一冊なのだ』など多数。

池澤春菜（いけざわ・はるな）
一九七五年生まれ。声優・歌手・エッセイスト。幼少期より年間三百冊以上の読書を続ける読書狂。とりわけSFとファンタジーに造詣が深い。お茶やガンプラ、きのこ等々、幅広い守備範囲を生かして多彩な活動を展開中。著書に『乙女の読書道』、『SFのSは、ステキのS』、『最愛台湾ごはん　春菜的台湾好吃案内』、『はじめましての中国茶』、『おかえり台湾』（高山羽根子との共著）などがある。

本書は語り下ろしです。
巻末のエッセイは書き下ろしです。

ぜんぶ本の話

印刷　2020年6月20日
発行　2020年6月30日

著者　池澤夏樹・池澤春菜
発行人　黒川昭良
発行所　毎日新聞出版
〒102-0074
東京都千代田区九段南1-6-17千代田会館5階
営業本部　03-6265-6941
図書第一編集部　03-6265-6745

印刷・製本　図書印刷

ISBN 978-4-620-32634-4